LA PRINCESSE DE BABYLONE

Portrait de Voltaire.

VOLTAIRE

La Princesse de Babylone

PRÉSENTATION ET NOTES DE MARIE-FRANCE AZÉMA

LE LIVRE DE POCHE
Libretti

Paru dans Le Livre de Poche :

© Librairie Générale Française , 1994.
ISBN : 978-2-253-13643-9-1ʳᵉ publication - LGF

PRÉSENTATION

Dans un Orient de légende, au temps où les bêtes parlaient, deux jeunes gens de sang princier semblaient promis l'un à l'autre, lorsqu'un faux rapport fit croire au valeureux Amazan — c'était le nom du jeune prince — qu'il était trompé. Fou de chagrin, il se mit à courir le monde pour oublier. Désespérée de ce malentendu, la belle Formosante — ainsi se nommait la jeune princesse — se lança à sa poursuite. D'abord entraînés par la folie de l'amour, ils finiront par retrouver raison et bonheur, ayant toutefois quelque peu cédé aux faiblesses de la Nature. Les aventures, les découvertes qui jalonnent leur périple aux quatre coins de l'univers habité forment la trame de *La Princesse de Babylone*, un roman féerique et philosophique écrit par Voltaire dans le courant de l'année 1767 et publié en 1768.

Ce conte, oriental comme le sont aussi *Zadig*, *Le Taureau blanc*, *Le monde comme il va*, nous plonge dans le monde des Mille et Une Nuits. On sait que la traduction qu'en avait publiée Galland en 1702, influença le goût du public français et la production romanesque au moins jusqu'au milieu du XVIIIe siècle. L'Orient devint le cadre commode du dépaysement, de la fantaisie, du libertinage, autorisant toutes les audaces philosophiques sous le voile léger d'une fiction acceptée par tous. Voltaire en garde l'atmosphère somptueuse et la facilité à faire surgir les miracles. Mais c'est avec humour qu'il donne à sa magie une efficacité toute prosaïque : ses tapis volants sont de confortables canapés, munis de tiroirs bien pratiques.

Nous reconnaissons aussi, dans le conte, bien des traits du roman courtois et de la poésie épique médiévale, ou plus exactement de l'image qu'en avait donné à la Renaissance italienne, le *Roland Furieux* de Ludovico Ariosto dit l'Arioste (1474-1533), l'une des lectures favorites de Voltaire. Cet immense poème (plus de 40 000 vers !) raconte une histoire qui est déjà celle d'Amazan et de Formosante : Roland, un des preux de Charlemagne, découvrant que la belle Angélique lui préfère un jeune soldat sarrazin du nom de Médor, en perd la raison (c'est le sens du qualificatif « furieux ») et se met à errer de par le monde. Ce n'est qu'un des nombreux épisodes de l'épopée italienne mais il établit clairement la filiation des deux œuvres, confirmée par de nombreux détails caractéristiques. Plus encore que des scènes de tournoi et des récits d'exploits guerriers, Voltaire trouvait chez l'Arioste une liberté de ton, un sens de la raillerie, une verve, une insolence toutes modernes, bien proches de son propre esprit.

C'est donc sur un mode plaisant et parodique qu'est traité le mélange d'emprunts à la réalité et de libres créations de l'imagination. La réalité — historique, géographique, — est certes présente à chaque ligne et l'on peut assigner une origine précise à la plupart des faits, des personnages ou des épisodes. Mais ni les Indiens, ni les Babyloniens de Voltaire ne sont ceux qu'il a trouvés dans les livres. S'il adopte un personnage, un accessoire, c'est pour le traiter avec une certaine désinvolture. Lorsque, par exemple, la belle Formosante pour renouveler ses serments de fidélité au brave Almazan (ch. IV), invoque les cendres de son oiseau chéri, le fameux « phénix », elles sont justement... dans sa poche. Une divinité aussi vénérable que le bœuf Apis est utilisée comme un vulgaire moyen de locomotion finit même en plat principal, servi à un banquet, puisque, c'est évident — nous le voyons d'ailleurs dans *Le Taureau blanc*, — « un dieu bœuf meurt comme un autre »...

Il serait tout de même un peu réducteur de ne voir dans cette épopée souriante qu'une œuvre burlesque, jouant systématiquement du contraste entre la noblesse des personnages et le caractère prosaïque, presque bourgeois de leurs préoccupations. Sous une fiction traitée avec humour, se cache à peine le dessein philosophique de l'auteur, ses convictions, voire ses obsessions, jusqu'à ses inimitiés. Comme tous les contes voltairiens, *La Princesse de Babylone* est une œuvre de combat. Les anachronismes flagrants, ceux qui signalent le clergé sous le déguisement du druide et du dervis, les amalgames entre la barbarie des uns, la sottise des autres et la folie de tous, les allusions aux dogmes, aux préjugés, aux sujets de querelles dans le vent sont autant de fléchettes tombant en pluie sur l'ennemi, qu'il s'agisse des Jésuites, du souverain borné ou d'un rival. Pourtant, en lisant, nous devons relativiser les audaces comme les prudences. S'il nous semble surprenant que Voltaire ait pu injurier de façon somme toute grossière ses ennemis les plus chers, comme il le fait à la fin du conte, c'est que les mœurs et les lois de l'époque n'interdisaient pas ces excès ; l'allusion, en revanche, devait se faire plus prudente lorsqu'il s'agissait d'attaquer institutions et pouvoirs en place.

Évoquant à chaque page les enjeux des querelles qui traversent le siècle des Lumières, ce récit de voyage dans l'espace et le temps nous impose d'abord une conception relativiste des institutions humaines : c'est en comparant notre société aux autres que nous la comprenons le mieux, ce qui est indispensable pour l'améliorer. Il nous fait en même temps accéder au sentiment de l'universel, puisque Amazan affirmit sa conviction que « *la morale est partout la même* », même si elle n'est pas, hélas, reconnue et appliquée partout avec un égal bonheur.

La leçon politique est la plus claire. En parcourant l'Europe et l'Asie, Amazan a le souci de pénétrer « l'esprit » de leurs lois. Il y a dans *La Princesse de Babylone* un classement fort explicite des états qui forment l'Europe au XVIIIe siècle. Au premier rang, se trouvent les monarchies protestantes de l'Europe du Nord, auxquelles est associée la Russie de Catherine II, ralliée, au moins en théorie, à la philosophie des Lumières. L'échelon inférieur est occupé par les monarchies de droit divin où dominent la Papauté (l'Italie), et même l'Inquisition (l'Espagne). La France occupe, elle, une position intermédiaire qui rappelle qu'on a des choix à faire, qu'on peut tout améliorer, pourvu qu'on ne se trompe pas.

Dans cette présentation — dont l'exactitude historique doit être fortement nuancée — on retrouve les grands thèmes de la prédication voltairienne : l'apologie de la tolérance fondée sur le respect des lois naturelles, l'appel à la raison tant dans l'organisation politique que dans la pratique des beaux-arts.

Ce ferme et constant *Credo* doit être défendu parce qu'il est menacé. *La Princesse de Babylone* est une œuvre satirique et militante. Mais en faveur de ses idées Voltaire mobilise un preux chevalier, ce qui donne à sa cause les traits éternels de la jeunesse et de la beauté.

La Princesse de Babylone a été publiée en 1768; certains passages (en particulier l'allusion au voyage de Catherine II visitant ses États) permettent de penser que Voltaire y travaillait durant l'année 1767. Le texte est actuellement le plus souvent publié dans un choix de *Contes* de Voltaire. On pourra se reporter, notamment, à l'édition d'Edouard Guitton qui comporte également les Contes en vers (Collection La Pochothèque, Le Livre de Poche).

Les jardins suspendus de Babylone.

REPÈRES BIOGRAPHIQUES

Vie de Voltaire		Événements politiques et littéraires	
1694	Naissance de Voltaire à Paris.		
1704-1711	Études chez les jésuites du collège Louis-le-Grand.	1715	Mort de Louis XIV. Le duc d'Orléans devient Régent.
		1723	Majorité de Louis XV.
1726	Le duc de Rohan fait bastonner Voltaire par ses gens puis mettre à la Bastille. Voltaire est autorisé à quitter la France ; il part pour l'Angleterre.		
1729	Retour à Paris.	1731	La publication de *l'Histoire de Charles XII* est suspendue par le gouvernement (l'ouvrage est imprimé clandestinement).
1734	Publication des *Lettres philosophiques* ; une lettre de cachet contraint Voltaire de se réfugier en province, chez madame du Châtelet.		
1739	Saisie des premiers chapitres du *Siècle de Louis XIV*.	1741	Début de la guerre dite « de Succession ».
1743	Voltaire est envoyé en mission auprès du roi de Prusse. Connaît une sorte de retour en grâce à la cour ; bien accueilli par madame de Pompadour.		
1746	Election de Voltaire à l'Académie française.		
1748	Publication de *Zadig*. Au		

Vie de Voltaire		Événements politiques et littéraires	
	théâtre : *Sémiramis*.		
1750	Départ pour Potsdam puis Berlin, à la cour du roi Frédéric II de Prusse.	1751	Publication du premier volume de *L'Encyclopédie*.
1752	Publication à Berlin du *Siècle de Louis XIV* (non autorisée en France). Publication de *Micromégas*.		
1753	Brouille avec Frédéric II ; départ de Berlin. N'a pas l'autorisation de revenir à Paris.		
1755	S'installe dans une propriété qu'il baptise « Les Délices », près de Genève.	1755	Le tremblement de terre de Lisbonne fait 25 000 morts.
1756	Première édition avouée de *l'Essai sur l'histoire générale et sur les mœurs et l'esprit des nations*. Une nouvelle édition de ses œuvres complètes en 17 volumes.		
1757	Premier contact avec la cour de Russie		
1759	*Candide*.	1759	Condamnation de *l'Encyclopédie*.
1760	Publication de la comédie *L'Ecossaise* contre Fréron. Début de l'*Histoire de l'Empire de Russie sous Pierre-le-Grand*. Installation définitive à Ferney.	1762	Début de l'affaire Calas. Catherine II s'empare du trône de Russie. Dissolution de l'ordre des Jésuites en France.
		1765	Réhabilitation de Calas ; Voltaire relance l'affaire

	Vie de Voltaire		Événements politiques et littéraires
			Sirven ; exécution du chevalier de La Barre qui a mutilé un crucifix.
1765	Dédicace de *La Philosophie de l'histoire* à Catherine II de Russie (ce texte deviendra *l'Introduction* de *l'Essai sur les mœurs*).		
1766	*Commentaire sur le livre Des délits et des peines de Beccaria.*		
1767	Théâtre : *Les Scythes.* Publication de *L'Ingénu*.	1768	L'appel de Sirven est rejeté par le roi.
1768	*La Princesse de Babylone.*		
1769	Édition définitive du *Dictionnaire philosophique*.	1769	Le *Dictionnaire philosophique* est condamné à être brûlé publiquement.
1770	Voltaire prend la défense des paysans du Jura (affaire dite « des serfs du Jura »).	1772	Le partage de la Pologne met fin aux espoirs mis dans le despotisme éclairé.
1774	début des démarches en faveur du chevalier de La Barre.	1774	Mort de Louis XV ; Règne de Louis XVI. Voltaire appuie les premières mesures de Turgot.
1775	*Histoire de Jenni ou le sage et l'athée.*		
1778	Retour triomphal à Paris. Mort le 30 mai.		

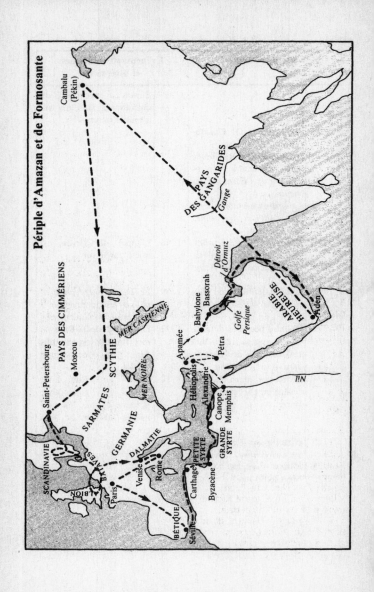

Périple d'Amazan et de Formosante

I

Le vieux Bélus, roi de Babylone [1], se croyait le premier homme de la terre : car tous ses courtisans le lui disaient, et ses historiographes le lui prouvaient. Ce qui pouvait excuser en lui ce ridicule, c'est qu'en effet ses prédécesseurs avaient bâti Babylone plus de trente mille ans avant lui, et qu'il l'avait embellie. On sait que son palais et son parc, situés à quelques parasanges [2] de Babylone, s'étendaient entre l'Euphrate et le Tigre, qui baignaient ces rivages enchantés. Sa vaste maison, de trois mille pas [3] de façade, s'élevait jusqu'aux nues. La plate-forme était entourée d'une balustrade de marbre blanc de cin-

---

1. Ville des empires (assyrien, chaldéen, perse) qui se sont succédé durant trois millénaires avant J.-C. en Mésopotamie (dans l'Irak actuel) sur l'Euphrate. Voltaire connaît surtout la Babel chaldéenne de la Bible, dont il fait (Essai *sur les Mœurs*, Introduction et ch. X « Des Chaldéens ») « la ville du Père Bel » (pour lui « Dieu »), d'où il a tiré le nom de Bélus, roi d'un empire imaginaire plus ou moins persan.

2. Mesure de distance de la Perse ancienne : 30 stades grecs, soit près de 6 km (1 stade = 177 m).

3. Ancienne mesure.

quante pieds [1] de hauteur, qui portait les statues colossales de tous les rois et de tous les grands hommes de l'empire. Cette plate-forme, composée de deux rangs de briques couvertes d'une épaisse surface de plomb d'une extrémité à l'autre, était chargée de douze pieds de terre, et sur cette terre on avait élevé des forêts d'oliviers, d'orangers, de citronniers, de palmiers, de gérofliers, de cocotiers, de cannelliers, qui formaient des allées impénétrables aux rayons du soleil.

Les eaux de l'Euphrate, élevées par des pompes dans cent colonnes creusées, venaient dans ces jardins remplir de vastes bassins de marbre, et, retombant ensuite par d'autres canaux, allaient former dans le parc des cascades de six mille pieds de longueur, et cent mille jets d'eau dont la hauteur pouvait à peine être aperçue : elles retournaient ensuite dans l'Euphrate, dont elles étaient parties. Les jardins de Sémiramis [2], qui étonnèrent l'Asie plusieurs siècles après, n'étaient qu'une faible imitation de ces antiques merveilles : car, du temps de Sémiramis, tout commençait à dégénérer chez les hommes et chez les femmes.

Mais ce qu'il y avait de plus admirable à Babylone, ce qui éclipsait tout le reste, était la fille unique du roi, nommée Formosante [3]. Ce fut d'après ses portraits et ses statues que dans la suite des siècles Praxitèle [4] sculpta son Aphrodite, et celle qu'on

---

1. Mesure française = 30 cm.
2. Sémiramis : reine légendaire d'Assyrie, fondatrice de Babylone et de ses célèbres jardins (voir tragédie de Voltaire *Sémiramis* 1748). Sa vie, racontée par Diodore de Sicile (Ier siècle av. J.-C.), aurait pour modèle Sammuramat (vers le IXe siècle av. J.-C.).
3. Nom fait à partir du latin (*formosa* : belle) avec la terminaison des noms des héros de l'Arioste (Bradamante, Aquilante).
4. Praxitèle : sculpteur grec (IVe siècle av. J.-C.) ; un fragment de son Aphrodite est au Louvre. Voltaire lui attribue une Vénus « *aux belles fesses* » (épithète « homérique » du type « aux belles

nomma *la Vénus aux belles fesses*. Quelle différence, ô ciel ! de l'original aux copies ! Aussi Bélus était plus fier de sa fille que de son royaume. Elle avait dix-huit ans : il lui fallait un époux digne d'elle ; mais où le trouver ? Un ancien oracle [1] avait ordonné que Formosante ne pourrait appartenir qu'à celui qui tendrait l'arc de Nembrod [2]. Ce Nembrod, le fort chasseur devant le Seigneur, avait laissé un arc de sept pieds babyloniques de haut, d'un bois d'ébène plus dur que le fer du mont Caucase qu'on travaille dans les forges de Derbent [3] ; et nul mortel, depuis Nembrod, n'avait pu bander cet arc merveilleux.

Il était dit encore que le bras qui aurait tendu cet arc tuerait le lion le plus terrible et le plus dangereux qui serait lâché dans le cirque de Babylone. Ce n'était pas tout : le bandeur de l'arc, le vainqueur du lion devait terrasser tous ses rivaux ; mais il devait surtout avoir beaucoup d'esprit, être le plus magnifique des hommes, le plus vertueux, et posséder la chose la plus rare qui fût dans l'univers entier.

Il se présenta trois rois qui osèrent disputer Formosante : le pharaon d'Égypte, le shah des Indes, et le grand kan [4] des Scythes [5]. Bélus assigna le jour, et le lieu du combat à l'extrémité de son parc, dans le vaste espace bordé par les eaux de l'Euphrate et du Tigre réunies. On dressa autour de la lice [6] un amphithéâtre

---

boucles »). La Vénus dite « *callipyge* » du Musée de Naples n'est pas de lui.

1. Voir p. 32 note 2.

2. Nembrod ou Nemrod, roi de Babel et fondateur de Ninive, le « *grand chasseur devant l'Eternel* » de la Bible (Genèse X, 8-11).

3. Derbent, sur la mer Caspienne, en Azerbaïdjan.

4. Titres employés assez librement. Shah est plutôt perse (mais nullement indien) et khan mongol, perse ou arabe.

5. Population nomade de l'Antiquité, vivant en Russie méridionale, entre le Danube et le Don (voir p. 36 note 1).

6. En ancien français : bord, bande ; puis espace pour les tournois. Aujourd'hui : barrière entourant un stade, un manège.

de marbre qui pouvait contenir cinq cent mille spectateurs. Vis-à-vis l'amphithéâtre était le trône du roi, qui devait paraître avec Formosante, accompagnée de toute la cour ; et à droite et à gauche, entre le trône et l'amphithéâtre, étaient d'autres trônes et d'autres sièges pour les trois rois et pour tous les autres souverains qui seraient curieux de venir voir cette auguste cérémonie.

Le roi d'Égypte arriva le premier, monté sur le bœuf Apis [1], et tenant en main le sistre [2] d'Isis. Il était suivi de deux mille prêtres vêtus de robes de lin plus blanches que la neige, de deux mille eunuques, de deux mille magiciens, et de deux mille guerriers.

Le roi des Indes arriva bientôt après dans un char traîné par douze éléphants. Il avait une suite encore plus nombreuse et plus brillante que le pharaon d'Égypte.

Le dernier qui parut était le roi des Scythes. Il n'avait auprès de lui que des guerriers choisis, armés d'arcs et de flèches. Sa monture était un tigre superbe qu'il avait dompté, et qui était aussi haut que les plus beaux chevaux de Perse. La taille de ce monarque, imposante et majestueuse, effaçait celle de ses rivaux ; ses bras nus, aussi nerveux que blancs, semblaient déjà tendre l'arc de Nembrod.

Les trois princes se prosternèrent d'abord devant Bélus et Formosante. Le roi d'Égypte offrit à la princesse les deux plus beaux crocodiles du Nil, deux

---

1. Apis : divinité égyptienne — probablement de la fécondité — représentée par un taureau (Voltaire préfère la version qui fait de lui un bœuf) ayant entre ses cornes le disque solaire. L'usage... cavalier présenté ici ne correspond à aucune tradition. Ce dieu se retrouve dans *Le Taureau blanc* (voir p. 124 note 1).

2. Instrument de musique rudimentaire (un montant en fer à cheval soutenant des rondelles) utilisé dans les rites consacrés à Isis, la sœur-épouse du dieu Osiris. Le culte de cette divinité égyptienne s'était répandu dans le monde antique.

hippopotames, deux zèbres, deux rats d'Égypte, et deux momies, avec les livres du grand Hermès [1], qu'il croyait être ce qu'il y avait de plus rare sur la terre.

Le roi des Indes lui offrit cent éléphants qui portaient chacun une tour de bois doré, et mit à ses pieds le *Veidam* [2], écrit de la main de Xaca [3] lui-même.

Le roi des Scythes, qui ne savait ni lire ni écrire, présenta cent chevaux de bataille couverts de housses de peaux de renards noirs.

La princesse baissa les yeux devant ses amants [4], et s'inclina avec des grâces aussi modestes [5] que nobles.

Bélus fit conduire ces monarques sur les trônes qui leur étaient préparés. « Que n'ai-je trois filles ! leur dit-il, je rendrais aujourd'hui six personnes heureuses. » Ensuite il fit tirer au sort à qui essayerait le premier l'arc de Nembrod. On mit dans un casque d'or les noms des trois prétendants. Celui du roi d'Égypte sortit le premier ; ensuite parut le nom du roi des Indes. Le roi scythe, en regardant l'arc et ses rivaux, ne se plaignit point d'être le troisième.

Tandis qu'on préparait ces brillantes épreuves, vingt mille pages et vingt mille jeunes filles distribuaient sans confusion des rafraîchissements aux spectateurs entre les rangs des sièges. Tout le monde avouait que les dieux n'avaient établi les rois que pour donner tous les jours des fêtes, pourvu qu'elles fussent diversifiées ; que la vie est trop courte pour

---

1. Hermès, dit « Trismégiste » ou très grand, fut, à l'époque hellénistique, assimilé au dieu égyptien Thot, inventeur des arts et des sciences. On lui attribuait des textes mystiques (IIIᵉ siècle après J.-C.) considérés comme l'équivalent païen de la gnose (système de pensée menant à la connaissance totale) chrétienne.

2. Ou Veda (« Savoir », cf. vidi en latin *j'ai vu, je sais*) : livres sacrés de la tradition hindoue, datant de l'époque « védique », vers 1000 av. J.-C.

3. Nous disons Câkya ou Bouddha.

4. Dans la langue classique : soupirants, amoureux, prétendants.

5. Réservé, pudique.

en user autrement ; que les procès, les intrigues, la guerre, les disputes des prêtres, qui consument la vie humaine, sont des choses absurdes et horribles ; que l'homme n'est né que pour la joie ; qu'il n'aimerait pas les plaisirs passionnément et continuellement s'il n'était pas formé pour eux ; que l'essence de la nature humaine est de se réjouir, et que tout le reste est folie. Cette excellente morale n'a jamais été démentie que par les faits[1].

Comme on allait commencer ces essais, qui devaient décider de la destinée de Formosante, un jeune inconnu monté sur une licorne[2], accompagné de son valet monté de même, et portant sur le poing un gros oiseau, se présente à la barrière. Les gardes furent surpris de voir en cet équipage une figure qui avait l'air de la divinité. C'était, comme on a dit depuis, le visage d'Adonis[3] sur le corps d'Hercule ; c'était la majesté avec les grâces. Ses sourcils noirs et ses longs cheveux blonds, mélange de beauté inconnu à Babylone, charmèrent l'assemblée : tout l'amphithéâtre se leva pour le mieux regarder ; toutes les femmes de la cour fixèrent sur lui des regards étonnés. Formosante elle-même, qui baissait toujours les yeux, les releva et rougit ; les trois rois pâlirent ; tous les spectateurs, en comparant Formosante avec l'inconnu, s'écriaient : « Il n'y a dans le monde que

---

1. Première apparition des thèmes voltairiens : l'homme peut améliorer sa condition (voir la célèbre conclusion de Candide : « *Il faut cultiver notre jardin* »), y compris en favorisant le luxe. Mais le mal naturel (dont on peut accuser la Providence divine) est aggravé par les folies des hommes.
2. Animal fantastique de la tradition médiévale, emblème de beauté et de pureté. Confondu avec le rhinocéros dans certains récits de voyage le présentant comme une redoutable bête de combat. A les deux fonctions dans le récit (voir au chapitre 11).
3. Très beau jeune homme aimé d'Aphrodite dans la mythologie grecque. Classiquement la force d'Hercule et la beauté d'Adonis, complémentaires, composent la beauté masculine parfaite.

ce jeune homme qui soit aussi beau que la princesse. »

Les huissiers [1], saisis d'étonnement, lui demandèrent s'il était roi. L'étranger répondit qu'il n'avait pas cet honneur, mais qu'il était venu de fort loin par curiosité pour voir s'il y avait des rois qui fussent dignes de Formosante. On l'introduisit dans le premier rang de l'amphithéâtre, lui, son valet, ses deux licornes, et son oiseau. Il salua profondément Bélus, sa fille, les trois rois, et toute l'assemblée. Puis il prit place en rougissant. Ses deux licornes se couchèrent à ses pieds, son oiseau se percha sur son épaule, et son valet, qui portait un petit sac, se mit à côté de lui.

Les épreuves commencèrent. On tira de son étui d'or l'arc de Nembrod. Le grand maître des cérémonies, suivi de cinquante pages et précédé de vingt trompettes, le présenta au roi d'Égypte, qui le fit bénir par ses prêtres ; et, l'ayant posé sur la tête du bœuf Apis, il ne douta pas de remporter cette première victoire. Il descend au milieu de l'arène, il essaie, il épuise ses forces, il fait des contorsions qui excitent le rire de l'amphithéâtre, et qui font même sourire Formosante.

Son grand aumônier s'approcha de lui : « Que Votre Majesté, lui dit-il, renonce à ce vain honneur, qui n'est que celui des muscles et des nerfs ; vous triompherez dans tout le reste. Vous vaincrez le lion, puisque vous avez le sabre d'Osiris [2]. La princesse de Babylone doit appartenir au prince qui a le plus d'esprit, et vous avez deviné des énigmes. Elle doit épouser le plus vertueux, vous l'êtes, puisque vous

---

1. Titre plaisamment européen comme, plus loin, le « *grand aumônier* ».
2. Voltaire choisit souvent les Egyptiens pour caricaturer la pensée religieuse et l'emprise du clergé (voir la violente critique p. 73). Ici, il se moque de la flagornerie du prêtre et de sa croyance naïve en la toute-puissance d'une relique.

avez été élevé par les prêtres d'Égypte. Le plus généreux doit l'emporter, et vous avez donné les deux plus beaux crocodiles et les deux plus beaux rats qui soient dans le Delta. Vous possédez le bœuf Apis et les livres d'Hermès, qui sont la chose la plus rare de l'univers. Personne ne peut vous disputer Formosante. — Vous avez raison, dit le roi d'Égypte », et il se remit sur son trône.

On alla mettre l'arc entre les mains du roi des Indes. Il en eut des ampoules pour quinze jours, et se consola en présumant que le roi des Scythes ne serait pas plus heureux que lui.

Le Scythe mania l'arc à son tour. Il joignait l'adresse à la force : l'arc parut prendre quelque élasticité entre ses mains ; il le fit un peu plier, mais jamais il ne put venir à bout de le tendre. L'amphithéâtre, à qui la bonne mine de ce prince inspirait des inclinations favorables, gémit de son peu de succès, et jugea que la belle princesse ne serait jamais mariée.

Alors le jeune inconnu descendit d'un saut dans l'arène, et, s'adressant au roi des Scythes : « Que Votre Majesté, lui dit-il, ne s'étonne point de n'avoir pas entièrement réussi. Ces arcs d'ébène se font dans mon pays ; il n'y a qu'un certain tour à donner. Vous avez beaucoup plus de mérite à l'avoir fait plier que je n'en peux avoir à le tendre. » Aussitôt il prit une flèche, l'ajusta sur la corde, tendit l'arc de Nembrod, et fit voler la flèche bien au-delà des barrières. Un million de mains applaudit à ce prodige. Babylone retentit d'acclamations, et toutes les femmes disaient : « Quel bonheur qu'un si beau garçon ait tant de force ! »

Il tira ensuite de sa poche une petite lame d'ivoire, écrivit sur cette lame avec une aiguille d'or, attacha la tablette d'ivoire à l'arc, et présenta le tout à la princesse avec une grâce qui ravissait tous les assistants. Puis il alla modestement se remettre à sa place entre son oiseau et son valet. Babylone entière était dans la surprise ; les trois rois étaient confondus, et l'inconnu ne paraissait pas s'en apercevoir.

Formosante fut encore plus étonnée en lisant sur la tablette d'ivoire attachée à l'arc ces petits vers en beau langage chaldéen[1] :

L'arc de Nembrod est celui de la guerre ;
L'arc de l'amour est celui du bonheur ;
Vous le portez. Par vous ce dieu vainqueur
Est devenu le maître de la terre.
Trois rois puissants, trois rivaux aujourd'hui,
Osent prétendre à l'honneur de vous plaire :
Je ne sais pas qui votre cœur préfère,
Mais l'univers sera jaloux de lui.

Ce petit madrigal[2] ne fâcha point la princesse. Il fut critiqué par quelques seigneurs de la vieille cour, qui dirent qu'autrefois dans le bon temps on aurait comparé Bélus au soleil, et Formosante à la lune, son cou à une tour, et sa gorge à un boisseau de froment[3]. Ils dirent que l'étranger n'avait point d'imagination, et qu'il s'écartait des règles de la véritable poésie ; mais toutes les dames trouvèrent les vers fort galants. Elles s'émerveillèrent qu'un homme qui bandait si bien un arc eût tant d'esprit. La dame d'honneur de la princesse lui dit : « Madame, voilà bien des talents en pure perte. De quoi servira à ce jeune homme son esprit et l'arc de Bélus ? — A le faire admirer, répondit Formosante. — Ah ! dit la dame d'honneur entre

---

1. Nom ancien de l'araméen, la langue sémite la plus courante dans l'Orient antique, celle de Babylone au temps de Nabuchodonosor (VIᵉ siècle avant J.-C.).
2. A l'origine : morceau de musique vocale, puis : court poème exprimant une pensée ingénieuse et galante.
3. Satire des conceptions littéraires démodées, par exemple du goût pour les métaphores précieuses (voir l'éloge du classicisme p. 100).

ses dents, encore un madrigal, et il pourrait bien être aimé. »

Cependant Bélus, ayant consulté ses mages, déclara qu'aucun des trois rois n'ayant pu bander l'arc de Nembrod, il n'en fallait pas moins marier sa fille, et qu'elle appartiendrait à celui qui viendrait à bout d'abattre le grand lion qu'on nourrissait exprès dans sa ménagerie. Le roi d'Égypte, qui avait été élevé dans toute la sagesse [1] de son pays, trouva qu'il était fort ridicule d'exposer un roi aux bêtes pour le marier. Il avouait que la possession de Formosante était d'un grand prix ; mais il prétendait que, si le lion l'étranglait, il ne pourrait jamais épouser cette belle Babylonienne. Le roi des Indes entra dans les sentiments de l'Égyptien ; tous deux conclurent que le roi de Babylone se moquait d'eux ; qu'il fallait faire venir des armées pour le punir ; qu'ils avaient assez de sujets qui se tiendraient fort honorés de mourir au service de leurs maîtres, sans qu'il en coûtât un cheveu à leurs têtes sacrées ; qu'ils détrôneraient aisément le roi de Babylone, et qu'ensuite ils tireraient au sort la belle Formosante.

Cet accord étant fait, les deux rois dépêchèrent chacun dans leur pays un ordre exprès d'assembler une armée de trois cent mille hommes pour enlever Formosante.

Cependant le roi des Scythes descendit seul dans l'arène, le cimeterre à la main. Il n'était pas éperdument épris des charmes de Formosante ; la gloire avait été jusque-là sa seule passion ; elle l'avait conduit à Babylone. Il voulait faire voir que si les rois de l'Inde et de l'Égypte étaient assez prudents

_____

1. A propos de la sagesse égyptienne, voir note 2 p. 21 et p. 73.

Le jeune inconnu, touché du péril d'un si brave prince, se jette dans l'arène plus prompt qu'un éclair ;

La Princesse de Babilone.

Gravure de Moreau le Jeune.

Photo Roger Viollet

pour ne se pas [1] compromettre [2] avec des lions, il était assez courageux pour ne pas dédaigner ce combat, et qu'il réparerait l'honneur du diadème. Sa rare valeur ne lui permit pas seulement [3] de se servir du secours de son tigre. Il s'avance seul, légèrement armé, couvert d'un casque d'acier garni d'or, ombragé de trois queues de cheval blanches comme la neige.

On lâche contre lui le plus énorme lion qui ait jamais été nourri dans les montagnes de l'Anti-Liban [4]. Ses terribles griffes semblaient capables de déchirer les trois rois à la fois, et sa vaste gueule de les dévorer. Ses affreux rugissements faisaient retentir l'amphithéâtre. Les deux fiers champions se précipitent l'un contre l'autre d'une course rapide. Le courageux Scythe enfonce son épée dans le gosier du lion, mais la pointe, rencontrant une de ces épaisses dents que rien ne peut percer, se brise en éclats, et le monstre des forêts, furieux de sa blessure, imprimait déjà ses ongles sanglants dans les flancs du monarque.

Le jeune inconnu, touché du péril d'un si brave prince, se jette dans l'arène plus prompt qu'un éclair ; il coupe la tête du lion avec la même dextérité qu'on a vu depuis dans nos carrousels [5] de jeunes chevaliers adroits enlever des têtes de maures ou des bagues.

Puis, tirant une petite boîte, il la présente au roi scythe, en lui disant : « Votre Majesté trouvera dans cette petite boîte le véritable dictame [6] qui croît dans mon pays. Vos glorieuses blessures seront guéries en

---

1. Place du pronom personnel usuelle dans la langue classique.
2. A l'époque, n'a que le sens de « se mettre en danger ».
3. L'empêcha même.
4. Chaîne montagneuse qui marque aujourd'hui la frontière libano-syrienne.
5. Jeux équestres. Réminiscence probable de l'Arioste : les objets visés représentent des têtes de Maures.
6. A l'origine plante médicinale cueillie sur le mont Dicté en Crête, passant pour soigner les blessures.

un moment. Le hasard seul vous a empêché de triompher du lion ; votre valeur n'en est pas moins admirable. »

Le roi scythe, plus sensible à la reconnaissance qu'à la jalousie, remercia son libérateur, et, après l'avoir tendrement embrassé, rentra dans son quartier pour appliquer le dictame sur ses blessures.

L'inconnu donna la tête du lion à son valet ; celui-ci, après l'avoir lavée à la grande fontaine qui était au-dessous de l'amphithéâtre, et en avoir fait écouler tout le sang, tira un fer de son petit sac, arracha les quarante dents du lion, et mit à leur place quarante [1] diamants d'une égale grosseur.

Son maître, avec sa modestie ordinaire, se remit à sa place ; il donna la tête du lion à son oiseau : « Bel oiseau, dit-il, allez porter aux pieds de Formosante ce faible hommage. » L'oiseau part, tenant dans une de ses serres le terrible trophée [2] ; il le présente à la princesse en baissant humblement le cou, et en s'aplatissant devant elle. Les quarante brillants éblouirent tous les yeux. On ne connaissait pas encore cette magnificence dans la superbe Babylone : l'émeraude, la topaze, le saphir et le pyrope [3] étaient regardés encore comme les plus précieux ornements. Bélus et toute la cour étaient saisis d'admiration. L'oiseau [4] qui offrait ce présent les surprit encore davantage. Il était de la taille d'un aigle, mais ses yeux étaient aussi doux et aussi tendres que ceux de l'aigle sont fiers et menaçants. Son bec était couleur de rose, et semblait tenir

---

1. Les lions n'ont pas quarante dents ; le chiffre est celui des contes (voir « les quarante voleurs » ou le conte de Voltaire *L'homme aux quarante écus*).
2. Dépouille prise à l'ennemi dont on se pare ou qu'on expose.
3. Du grec : « qui a l'air du feu », « variété de grenat » (Littré), pierre fine de couleur rouge vin.
4. Désigné plus loin comme un phénix, animal fabuleux qui, pour les Anciens, renaissait de ses cendres (voir pp. 40 et 41).

quelque chose de la belle bouche de Formosante. Son cou rassemblait toutes les couleurs de l'iris, mais plus vives et plus brillantes. L'or en mille nuances éclatait sur son plumage. Ses pieds paraissaient un mélange d'argent et de pourpre ; et la queue des beaux oiseaux qu'on attela depuis au char de Junon[1] n'approchait pas de la sienne.

L'attention, la curiosité, l'étonnement, l'extase de toute la cour se partageaient entre les quarante diamants et l'oiseau. Il s'était perché sur la balustrade, entre Bélus et sa fille Formosante ; elle le flattait, le caressait, le baisait. Il semblait recevoir ses caresses avec un plaisir mêlé de respect. Quand la princesse lui donnait des baisers, il les rendait, et la regardait ensuite avec des yeux attendris. Il recevait d'elle des biscuits et des pistaches, qu'il prenait de sa patte purpurine[2] et argentée, et qu'il portait à son bec avec des grâces inexprimables.

Bélus, qui avait considéré les diamants avec attention, jugeait qu'une de ses provinces pouvait à peine payer un présent si riche. Il ordonna qu'on préparât pour l'inconnu des dons encore plus magnifiques que ceux qui étaient destinés aux trois monarques. « Ce jeune homme, disait-il, est sans doute le fils du roi de la Chine, ou de cette partie du monde qu'on nomme *Europe*, dont j'ai entendu parler[3], ou de l'Afrique, qui est, dit-on, voisine du royaume d'Égypte. »

Il envoya sur-le-champ son grand écuyer complimenter l'inconnu, et lui demander s'il était souverain ou fils du souverain d'un de ces empires, et pourquoi, possédant de si étonnants trésors, il était venu avec un valet et un petit sac.

---

1. Le paon, consacré à l'épouse de Jupiter.
2. Couleur de pourpre, rouge.
3. Plaisant renversement de point de vue, fréquent dans les contes philosophiques.

Tandis que le grand écuyer avançait vers l'amphi-théâtre pour s'acquitter de sa commission, arriva un autre valet sur une licorne. Ce valet, adressant la parole au jeune homme, lui dit : « Ormar, votre père touche à l'extrémité de sa vie, et je suis venu vous en avertir. » L'inconnu leva les yeux au ciel, versa des larmes, et ne répondit que par ce mot : « Partons. »

Le grand écuyer, après avoir fait les compliments de Bélus au vainqueur du lion, au donneur des qua-rante diamants, au maître du bel oiseau, demanda au valet de quel royaume était souverain le père de ce jeune héros. Le valet répondit : « Son père est un vieux berger qui est fort aimé dans le canton. »

Pendant ce court entretien l'inconnu était déjà monté sur sa licorne. Il dit au grand écuyer : « Sei-gneur, daignez me mettre aux pieds de Bélus et de sa fille. J'ose la supplier d'avoir grand soin de l'oiseau que je lui laisse ; il est unique comme elle. » En ache-vant ces mots, il partit comme un éclair ; les deux valets le suivirent, et on les perdit de vue.

Formosante ne put s'empêcher de jeter un grand cri. L'oiseau, se retournant vers l'amphithéâtre où son maître avait été assis, parut très affligé de ne le plus voir. Puis regardant fixement la princesse, et frottant doucement sa belle main de son bec, il sembla se vouer à son service.

Bélus, plus étonné que jamais, apprenant que ce jeune homme si extraordinaire était le fils d'un ber-ger, ne put le croire. Il fit courir après lui ; mais bien-tôt on lui rapporta que les licornes sur lesquelles ces trois hommes couraient ne pouvaient être atteintes, et qu'au galop dont elles allaient elles devaient faire cent lieues par jour.

II

Tout le monde raisonnait[1] sur cette aventure étrange, et s'épuisait en vaines conjectures. Comment le fils d'un berger peut-il donner quarante gros diamants ? Pourquoi est-il monté sur une licorne ? On s'y perdait ; et Formosante, en caressant son oiseau, était plongée dans une rêverie profonde.

La princesse Aldée, sa cousine issue de germaine, très bien faite, et presque aussi belle que Formosante, lui dit : « Ma cousine, je ne sais pas si ce jeune demi-dieu est le fils d'un berger ; mais il me semble qu'il a rempli toutes les conditions attachées à votre mariage. Il a bandé l'arc de Nembrod, il a vaincu le lion, il a beaucoup d'esprit puisqu'il a fait pour vous un assez joli impromptu[2]. Après les quarante énormes diamants qu'il vous a donnés, vous ne pouvez nier qu'il ne soit le plus généreux des hommes. Il possédait dans son oiseau ce qu'il y a de plus rare sur la terre. Sa vertu n'a point d'égale, puisque, pouvant demeurer auprès de vous, il est parti sans délibérer[3] dès qu'il a su que son père était malade. L'oracle est accompli dans tous ses points, excepté dans celui qui exige qu'il terrasse ses rivaux ; mais il fait plus, il a sauvé la vie du seul concurrent qu'il pouvait craindre ; et, quand il s'agira de battre les deux autres, je crois que vous ne doutez pas qu'il n'en vienne à bout aisément.

— Tout ce que vous dites est bien vrai, répondit Formosante ; mais est-il possible que le plus grand des hommes, et peut-être même le plus aimable, soit le fils d'un berger ? »

La dame d'honneur, se mêlant de la conversation,

---

1. Peut avoir le sens de « discourait de façon creuse ».
2. Petit poème improvisé.
3. Hésiter, comme nous disons : « réfléchir ».

dit que très souvent ce mot de berger [1] était appliqué aux rois ; qu'on les appelait *bergers*, parce qu'ils tondent de fort près leur troupeau ; que c'était sans doute une mauvaise plaisanterie de son valet ; que ce jeune héros n'était venu si mal accompagné que pour faire voir combien son seul mérite était au-dessus du faste des rois, et pour ne devoir Formosante qu'à lui-même. La princesse ne répondit qu'en donnant à son oiseau mille tendres baisers.

On préparait cependant un grand festin pour les trois rois et pour tous les princes qui étaient venus à la fête. La fille et la nièce du roi devaient en faire les honneurs. On portait chez les rois des présents dignes de la magnificence de Babylone. Bélus, en attendant qu'on servît, assembla son conseil sur le mariage de la belle Formosante, et voici comme il parla en grand politique :

« Je suis vieux, je ne sais plus que faire, ni à qui donner ma fille. Celui qui la méritait n'est qu'un vil berger, le roi des Indes et celui d'Égypte sont des poltrons ; le roi des Scythes me conviendrait assez, mais il n'a rempli aucune des conditions imposées. Je vais encore consulter l'oracle. En attendant, délibérez, et nous conclurons suivant ce que l'oracle [2] aura dit : car un roi ne doit se conduire que par l'ordre exprès des dieux immortels. »

Alors il va dans sa chapelle ; l'oracle lui répond en peu de mots, suivant sa coutume : « Ta fille ne sera mariée que quand elle aura couru le monde. » Bélus, étonné, revient au conseil, et rapporte cette réponse.

---

1. Dans Homère, les rois sont les bergers de leurs peuples. Pour Voltaire il est fréquent qu'ils les exploitent.
2. On voit quel cas fait le roi de la consultation de son conseil ! Les plaisanteries sur les oracles visent de façon générale la naïveté des croyants et la duplicité des clergés et des politiques.

Tous les ministres avaient un profond respect pour les oracles ; tous convenaient ou feignaient de convenir qu'ils étaient le fondement de la religion [1] ; que la raison doit se taire devant eux ; que c'est par eux que les rois règnent sur les peuples, et les mages [2] sur les rois ; que sans les oracles il n'y aurait ni vertu ni repos sur la terre. Enfin, après avoir témoigné la plus profonde vénération pour eux, presque tous conclurent que celui-ci était impertinent [3], qu'il ne fallait pas lui obéir ; que rien n'était plus indécent pour une fille, et surtout pour celle du grand roi de Babylone, que d'aller courir sans savoir où ; que c'était le vrai moyen de n'être point mariée, ou de faire un mariage clandestin, honteux et ridicule ; qu'en un mot cet oracle n'avait pas le sens commun.

Le plus jeune des ministres, nommé Onadase, qui avait plus d'esprit qu'eux, dit que l'oracle entendait sans doute quelque pèlerinage de dévotion, et qu'il s'offrait à être le conducteur de la princesse. Le conseil revint à [4] son avis, mais chacun voulut servir d'écuyer. Le roi décida que la princesse pourrait aller à trois cents parasanges [5] sur le chemin de l'Arabie, à un temple dont le saint avait la réputation de procurer d'heureux mariages aux filles, et que ce serait le doyen du conseil qui l'accompagnerait. Après cette décision on alla souper.

---

1. L'oracle est plus païen que chrétien, mais Voltaire s'en sert pour ironiser sur le thème chrétien de la parole de Dieu, la révélation, « *fondement de la religion* ». Cette assimilation éclaire le jeu satirique des anachronismes (« *chapelle* », « *pèlerinage* », « *temple de saint* », etc).
2. Sages orientaux (voir p. 38 note 4) représentant ici le clergé.
3. Joue sur le double sens du mot : à côté de la question, mais aussi : insolent.
4. Se rangea à son avis.
5. Près de 1 600 km (voir p. 15 note 2).

III

Au milieu des jardins, entre deux cascades, s'élevait un salon ovale de trois cents pieds de diamètre, dont la voûte [1] d'azur semée d'étoiles d'or représentait toutes les constellations avec les planètes, chacune à leur véritable place, et cette voûte tournait, ainsi que le ciel, par des machines aussi invisibles que le sont celles qui dirigent les mouvements célestes. Cent mille flambeaux enfermés dans des cylindres de cristal de roche éclairaient les dehors et l'intérieur de la salle à manger. Un buffet en gradins portait vingt mille vases ou plats d'or ; et vis-à-vis le buffet d'autres gradins étaient remplis de musiciens. Deux autres amphithéâtres étaient chargés, l'un, des fruits de toutes les saisons ; l'autre, d'amphores de cristal où brillaient tous les vins de la terre.

Les convives prirent leurs places autour d'une table de compartiments [2] qui figuraient des fleurs et des fruits, tous en pierres précieuses. La belle Formosante fut placée entre le roi des Indes et celui d'Égypte. La belle Aldée auprès du roi des Scythes. Il y avait une trentaine de princes, et chacun d'eux était à côté d'une des plus belles dames du palais. Le roi de Babylone au milieu, vis-à-vis de sa fille, paraissait partagé entre le chagrin de n'avoir pu la marier et le plaisir de la garder encore. Formosante lui demanda

---

1. Ce planétarium est probablement inspiré de celui réalisé vers 1730 par le physicien Georges Graham (cf. Voltaire *Histoire de Jenni*, ch. VIII). Les philosophes font des progrès de l'astronomie une marque importante du génie humain, mais aussi une des raisons de voir en la divinité le constructeur qu'il faut nécessairement supposer à une machinerie aussi élaborée.
2. Littré : « disposition régulière et symétrique de figures ou de lignes pour l'ornement des parterres de jardin, des plafonds », dans le genre des dessins en mosaïque

la permission de mettre son oiseau sur la table à côté d'elle. Le roi le trouva très bon.

La musique, qui se fit entendre, donna une pleine liberté à chaque prince d'entretenir sa voisine. Le festin parut aussi agréable que magnifique. On avait servi devant Formosante un ragoût[1] que le roi son père aimait beaucoup. La princesse dit qu'il fallait le porter devant Sa Majesté ; aussitôt l'oiseau se saisit du plat avec une dextérité merveilleuse et va le présenter au roi. Jamais on ne fut plus étonné à souper. Bélus lui fit autant de caresses que sa fille. L'oiseau reprit ensuite son vol pour retourner auprès d'elle. Il déployait en volant une si belle queue, ses ailes étendues étalaient tant de brillantes couleurs, l'or de son plumage jetait un éclat si éblouissant, que tous les yeux ne regardaient que lui. Tous les concertants[2] cessèrent leur musique et demeurèrent immobiles. Personne ne mangeait, personne ne parlait, on n'entendait qu'un murmure d'admiration. La princesse de Babylone le baisa pendant tout le souper, sans songer seulement s'il y avait des rois dans le monde. Ceux des Indes et d'Égypte sentirent redoubler leur dépit et leur indignation, et chacun d'eux se promit bien de hâter la marche de ses trois cent mille hommes pour se venger.

Pour le[3] roi des Scythes, il était occupé à entretenir la belle Aldée : son cœur altier, méprisant sans dépit les inattentions de Formosante, avait conçu pour elle plus d'indifférence que de colère. « Elle est belle, disait-il, je l'avoue ; mais elle me paraît de ces femmes qui ne sont occupées que de leur beauté, et qui pensent que le genre humain doit leur être bien obligé

---

1. A l'origine : assaisonnement propre à réveiller le goût, d'où plat en sauce.
2. Qui chante ou exécute sa partie dans un concert.
3. Quant au.

quand elles daignent se laisser voir en public. On n'adore point des idoles dans mon pays. J'aimerais mieux une laideron complaisante et attentive que cette belle statue. Vous avez, madame, autant de charmes qu'elle, et vous daignez au moins faire conversation avec les étrangers. Je vous avoue, avec la franchise d'un [1] Scythe, que je vous donne la préférence sur votre cousine. » Il se trompait pourtant sur le caractère de Formosante : elle n'était pas si dédaigneuse qu'elle le paraissait ; mais son compliment fut très bien reçu de la princesse Aldée. Leur entretien devint fort intéressant : ils étaient très contents, et déjà sûrs l'un de l'autre avant qu'on [2] sortît de table.

Après le souper, on alla se promener dans les bosquets. Le roi des Scythes et Aldée ne manquèrent pas de chercher un cabinet solitaire. Aldée, qui était la franchise même, parla ainsi à ce prince :

« Je ne hais point ma cousine, quoiqu'elle soit plus belle que moi, et qu'elle soit destinée au trône de Babylone : l'honneur de vous plaire me tient lieu d'attraits. Je préfère la Scythie avec vous à la couronne de Babylone sans vous ; mais cette couronne m'appartient de droit, s'il y a des droits dans le monde : car je suis de la branche aînée de Nembrod [3], et Formosante n'est que de la cadette. Son grand-père détrôna le mien, et le fit mourir.

— Telle est donc la force du sang [4] dans la maison de Babylone ! dit le Scythe. Comment s'appelait

1. Voltaire utilise le Scythe, toujours présenté comme peu civilisé mais simple et honnête, comme une variante du Bon Sauvage de la pensée philosophique. Sa tragédie *Les Scythes* (1767) présente une princesse confrontée à ces mœurs rudes.
2. Pas de « ne » (facultatif, mais fréquent dans la langue actuelle) après « avant que » dans la langue classique.
3. Voir. p. 17 note 2.
4. Le Scythe s'étonne en bon philosophe des droits exorbitants que donne la naissance.

votre grand-père ? — Il se nommait Aldée, comme moi. Mon père avait le même nom : il fut relégué au fond de l'empire avec ma mère ; et Bélus, après leur mort, ne craignant rien de moi, voulut bien m'élever auprès de sa fille ; mais il a décidé que je ne serais jamais mariée.

— Je veux venger votre père, et votre grand-père, et vous, dit le roi des Scythes. Je vous réponds que vous serez mariée ; je vous enlèverai après-demain de grand matin, car il faut dîner demain avec le roi de Babylone, et je reviendrai soutenir vos droits avec une armée de trois cent mille hommes.

— Je le veux bien », dit la belle Aldée ; et, après s'être donné leur parole d'honneur, ils se séparèrent.

Il y avait longtemps que l'incomparable Formosante s'était allée coucher. Elle avait fait placer à côté de son lit un petit oranger dans une caisse d'argent pour y faire reposer son oiseau. Ses rideaux [1] étaient fermés ; mais elle n'avait nulle envie de dormir. Son cœur et son imagination étaient trop éveillés. Le charmant inconnu était devant ses yeux ; elle le voyait tirant une flèche avec l'arc de Nembrod ; elle le contemplait coupant la tête du lion ; elle récitait son madrigal ; enfin elle le voyait s'échapper de la foule, monté sur sa licorne ; alors elle éclatait en sanglots ; elle s'écriait avec larmes : « Je ne le reverrai donc plus ; il ne reviendra pas.

— Il reviendra, madame, lui répondit l'oiseau du haut de son oranger ; peut-on vous avoir vue, et ne pas vous revoir ?

— O ciel ! ô puissances éternelles ! mon oiseau parle le pur chaldéen [2] ! » En disant ces mots, elle tire ses rideaux, lui tend les bras, se met à genoux sur son lit : « Êtes-vous un dieu descendu sur la terre ? êtes-

---

1. Du lit à baldaquin.
2. Voir p. 25 note 1.

vous le grand Orosmade[1] caché sous ce beau plumage ? Si vous êtes un dieu, rendez-moi ce beau jeune homme.

— Je ne suis qu'une volatile[2], répliqua l'autre ; mais je naquis dans le temps que toutes les bêtes parlaient encore, et que les oiseaux, les serpents, les ânesses, les chevaux, et les griffons[3] s'entretenaient familièrement avec les hommes. Je n'ai pas voulu parler devant le monde, de peur que vos dames d'honneur ne me prissent pour un sorcier : je ne veux me découvrir qu'à vous. »

Formosante, interdite, égarée, enivrée de tant de merveilles, agitée de l'empressement de faire cent questions à la fois, lui demanda d'abord quel âge il avait. « Vingt-sept mille neuf cents ans et six mois, madame ; je suis de l'âge de la petite révolution du ciel que vos mages[4] appellent *la précession des équinoxes*[5] et qui s'accomplit en près de vingt-huit mille de vos années. Il y a des révolutions infiniment plus longues : aussi nous avons des êtres beaucoup plus vieux que moi. Il y a vingt-deux mille ans[6] que j'appris le chaldéen dans un de mes voyages. J'ai toujours conservé beaucoup de goût pour la langue chaldéenne ; mais les autres animaux mes confrères ont

1. Dans la religion perse ancienne : « le dieu des jours », opposé à Arimane, « le génie des ténèbres » comme le Bien s'oppose au Mal. Voltaire attribue avec désinvolture aux Chaldéens une doctrine due à Zoroastre (VIe siècle avant J.-C., le Zarathoustra de Nietzsche).
2. Masculin ou féminin dans la langue classique.
3. Griffons : voir p. 57 note 3 et annexe.
4. Sages chaldéens, excellents astronomes (cf. les Rois mages venus adorer le Christ à sa naissance).
5. Mouvement de rotation de l'axe terrestre en 26 000 ans, formalisé par le mathématicien et philosophe français d'Alembert en 1749.
6. Les Chaldéens sont pour Voltaire plus anciens que les Indiens ou les Chinois.

renoncé à parler dans vos climats. — Et pourquoi cela, mon divin oiseau ? — Hélas ! c'est parce que les hommes ont pris enfin [1] l'habitude de nous manger, au lieu de converser et de s'instruire avec nous. Les barbares ! ne devaient-ils pas être convaincus qu'ayant les mêmes organes qu'eux, les mêmes sentiments, les mêmes besoins, les mêmes désirs, nous avions ce qui s'appelle *une âme* [2] tout comme eux ; que nous étions leurs frères, et qu'il ne fallait cuire [3] et manger que les méchants ? Nous sommes tellement vos frères que le grand Être, l'Être éternel et formateur [4], ayant fait un pacte avec les hommes, nous comprit expressément dans le traité. Il vous défendit de vous nourrir de notre sang [5], et à nous, de sucer le vôtre.

« Les fables de votre ancien Locman [6], traduites en tant de langues, seront un témoignage éternellement subsistant de l'heureux commerce que vous avez eu autrefois avec nous. Elles commencent toutes par ces mots : *Du temps que les bêtes parlaient.* Il est vrai

---

1. Ont fini par prendre.

2. Dans le *Dictionnaire philosophique* (article *Bêtes)*, Voltaire refuse que les animaux soient de pures machines (Descartes). Il leur trouve de la capacité à apprendre, de la mémoire, des sentiments, « *un certain nombre d'idées* ».

3. Allusion ironique aux bûchers réservés aux hérétiques.

4. Créateur. Cf. Bossuet : « *Dieu... formateur de tout ce qui est* ». Adversaire de la religion catholique, Voltaire se dit « théiste » (nous disons « déiste ») : « *homme fermement persuadé de l'existence d'un être suprême aussi bon que puissant et qui a créé tous les êtres* » (*Dictionnaire philosophique*, article *Dieu).*

5. La note de Voltaire rappelle que le Dieu de la Bible autorise l'homme à manger la chair mais non le sang (« qui est l'âme ») ; le chapitre III de l'Ecclésiaste assimile la mort de l'animal et celle de l'homme. Ce rappel signale aux catholiques que la parole de Dieu est mieux observée par les israélites que par les chrétiens.

6. Personnage légendaire qui aurait, dit-on, régné sur l'Arabie et à qui on a attribué les fables grecques dites d'Esope (VIe siècle av. J.-C.).

PHILOSTRATE *(fin du IIe, début du IIIe siècle après J.-C.) : Célèbre rhéteur athénien qui vécut à la cour impériale sous le règne de Septime Sévère. Il écrivit (en grec) pour l'impératrice la* Vie d'Apollonios de Tyane, *une biographie romancée d'un personnage qui, au Ier siècle après J.-C., avait eu la réputation d'être un sage magicien. Philostrate en fait un homme inspiré, interprète et représentant d'Apollon parmi les hommes. Cette vie, un peu à la manière des* Histoires *d'Hérodote (Ve siècle*

LE PHÉNIX

...Le phénix gagne l'Égypte tous les cinq cents ans. Dans l'intervalle, c'est en Inde qu'il déploie son vol. Il est unique. Produit par les rayons du soleil, il a l'éclat de l'or. Sa taille et son aspect sont ceux de l'aigle. Il s'établit sur un nid fait par lui de plantes aromatiques aux sources du Nil. Les Égyptiens chantent sa translation en Égypte et le témoignage des Indiens la confirme. Et ils ajoutent que le phénix qui est consumé dans son nid chante son propre hymne funéraire ; c'est ce que font également les cygnes d'après ceux qui réussissent à les entendre.

PHILOSTRATE *Vie d'Apollonios de Tyane*
(Livre III, ch. 49.)

LA TRADITION DES
DE PHILOSTRATE

avant J.-C.), fait l'inventaire des merveilles et des prodiges que la croyance populaire attribuait à l'Orient. Car il s'agit aussi, dans une sorte de pèlerinage aux sources orientales du pythagorisme, de réhabiliter le paganisme sous la forme d'une doctrine religieuse épurée, fondée sur l'ascèse, la recherche du perfectionnement personnel, la compréhension de la nature. Paré de riches couleurs orientales, cet évangile pythagoricien était censé contrebalancer l'influence croissante du christianisme.

LE GRIFFON

L'or que les griffons retirent du sol, ce sont des pierres piquetées de gouttes d'or étincelantes que cet animal taille à la force de son bec. Ils vivent aux Indes et passent pour les animaux sacrés du Soleil. Dans les représentations imagées du Soleil, les artistes indiens les font figurer attelés en quadrige. Leur taille et leur vigueur se comparent à celles du lion, qu'ils attaquent en ayant sur lui l'avantage de voler. Ils l'emportent également sur les éléphants et les dragons. Ils ne peuvent voler bien loin mais sont comme les oiseaux dont l'envol est court. Ils ne possèdent pas d'ailes comme les oiseaux mais c'est en faisant tournoyer leurs pattes pourvues de membranes rouges qu'ils peuvent prendre leur essor et combattre du haut des airs. Le tigre seul, en revanche, leur échappe, car sa vitesse égale celle du vent.

PHILOSTRATE *Vie d'Apollonios de Tyane*
(Livre III, ch. 48.)

ANIMAUX MERVEILLEUX
A VOLTAIRE

qu'il y a beaucoup de femmes parmi vous qui parlent toujours à leurs chiens ; mais ils ont résolu de ne point répondre depuis qu'on les a forcés à coups de fouet d'aller à la chasse, et d'être les complices du meurtre de nos anciens amis communs, les cerfs, les daims, les lièvres et les perdrix.

« Vous avez encore d'anciens poèmes [1] dans lesquels les chevaux parlent, et vos cochers leur adressent la parole tous les jours ; mais c'est avec tant de grossièreté, et en prononçant des mots si infâmes, que les chevaux, qui vous aimaient tant autrefois, vous détestent aujourd'hui.

« Le pays où demeure votre charmant inconnu, le plus parfait des hommes, est demeuré le seul où votre espèce sache encore aimer la nôtre et lui parler ; et c'est la seule contrée de la terre où les hommes soient justes.

— Et où est-il ce pays de mon cher inconnu ? quel est le nom de ce héros ? comment se nomme son empire ? car je ne croirai pas plus qu'il est un berger que je ne crois que vous êtes une chauve- souris.

— Son pays, madame, est celui des Gangarides [2], peuple vertueux et invincible qui habite la rive orientale du Gange. Le nom de mon ami est Amazan. Il n'est pas roi, et je ne sais même s'il voudrait s'abaisser à l'être ; il aime trop ses compatriotes : il est berger comme eux. Mais n'allez pas vous imaginer que ces bergers ressemblent aux vôtres, qui, couverts à peine de lambeaux déchirés, gardent des moutons infiniment mieux habillés qu'eux ; qui gémissent sous

---

1. Dans l'*Iliade*, la célèbre épopée homérique, Xanthe, le cheval d'Achille subitement doué de parole prédit la mort de son maître (Ch. XIX v. 408-417).
2. Habitants du Gange ; dans l'*Essai sur les mœurs* (*De l'Inde*, intr. et ch. XVII), Voltaire fait de cette région un tableau idyllique : l'abondance des productions végétales y dispenserait l'homme de tuer les animaux.

42

le fardeau de la pauvreté, et qui payent à un exacteur [1] la moitié des gages chétifs qu'ils reçoivent de leurs maîtres. Les bergers gangarides, nés tous égaux, sont les maîtres des troupeaux innombrables qui couvrent leurs prés éternellement fleuris. On ne les tue jamais : c'est un crime horrible vers le Gange de tuer et de manger son semblable. Leur laine, plus fine et plus brillante que la plus belle soie, est le plus grand commerce de l'Orient. D'ailleurs la terre des Gangarides produit tout ce qui peut flatter les désirs de l'homme. Ces gros diamants qu'Amazan a eu l'honneur de vous offrir sont d'une mine qui lui appartient. Cette licorne que vous l'avez vu monter est la monture ordinaire des Gangarides. C'est le plus bel animal, le plus fier, le plus terrible, et le plus doux qui orne la terre. Il suffirait de cent Gangarides et de cent licornes [2] pour dissiper des armées innombrables. Il y a environ deux siècles qu'un roi des Indes fut assez fou pour vouloir conquérir cette nation : il se présenta suivi de dix mille éléphants et d'un million de guerriers. Les licornes percèrent les éléphants, comme j'ai vu sur votre table des mauviettes [3] enfilées dans des brochettes d'or. Les guerriers tombaient sous le sabre des Gangarides comme les moissons de riz sont coupées par les mains des peuples de l'Orient. On prit le roi prisonnier avec plus de six cent mille hommes. On le baigna dans les eaux salutaires du Gange ; on le mit au régime du pays, qui consiste à ne se nourrir que de végétaux prodigués par la nature pour nourrir tout ce qui respire. Les hommes alimentés de car-

---

1. Qui « exige » d'un autre ce qui lui est dû ; même dénonciation du poids des impôts sur l'agriculture dans *L'homme aux quarante écus*. C'est aussi le thème de l'honneur qui devrait rejaillir sur les professions utiles plutôt que sur des aristocrates oisifs.
2. Sur les vertus guerrières de la licorne, voir p. 20 note 2.
3. Espèce d'alouettes.

nage [1] et abreuvés de liqueurs fortes ont tous un sang aigri et aduste [2] qui les rend fous en cent manières différentes. Leur principale démence est la fureur de verser le sang de leurs frères, et de dévaster des plaines fertiles pour régner sur des cimetières. On employa six mois entiers à guérir le roi des Indes de sa maladie. Quand les médecins eurent enfin jugé qu'il avait le pouls plus tranquille et l'esprit plus rassis, ils en donnèrent le certificat au conseil des Gangarides. Ce conseil, ayant pris l'avis des licornes, renvoya humainement le roi des Indes, sa sotte cour et ses imbéciles guerriers dans leur pays. Cette leçon les rendit sages, et, depuis ce temps, les Indiens respectèrent les Gangarides, comme les ignorants qui voudraient s'instruire respectent parmi vous les philosophes chaldéens, qu'ils ne peuvent égaler. — A propos, mon cher oiseau, lui dit la princesse, y a-t-il une religion chez les Gangarides ? — S'il y en a une ? Madame, nous nous assemblons pour rendre grâces à Dieu [3], les jours de la pleine lune, les hommes dans un grand temple de cèdre, les femmes dans un autre, de peur des distractions ; tous les oiseaux dans un bocage, les quadrupèdes sur une belle pelouse. Nous remercions Dieu de tous les biens qu'il nous a faits. Nous avons surtout des perroquets [4] qui prêchent à merveille.

« Telle est la patrie de mon cher Amazan ; c'est là que je demeure ; j'ai autant d'amitié pour lui qu'il vous a inspiré d'amour. Si vous m'en croyez, nous partirons ensemble, et vous irez lui rendre sa visite.

— Vraiment, mon oiseau, vous faites là un joli métier [5], répondit en souriant la princesse, qui brûlait

---

1. De chair animale.
2. Terme médical : qui est brûlé.
3. Voltaire conçoit la religion sans rites et sans clergé.
4. Ironie évidente.
5. D'entremetteur ; Formosante n'a pas la simplicité de sa cousine.

d'envie de faire le voyage, et qui n'osait le dire. — Je sers mon ami, dit l'oiseau ; et, après le bonheur de vous aimer, le plus grand est celui de servir vos amours. »

Formosante ne savait plus où elle en était ; elle se croyait transportée hors de la terre. Tout ce qu'elle avait vu dans cette journée, tout ce qu'elle voyait, tout ce qu'elle entendait, et surtout ce qu'elle sentait dans son cœur, la plongeait dans un ravissement qui passait de bien loin celui qu'éprouvent aujourd'hui les fortunés [1] musulmans quand, dégagés de leurs liens terrestres, ils se voient dans le neuvième ciel entre les bras de leurs houris [2], environnés et pénétrés de la gloire et de la félicité célestes.

IV

Elle passa toute la nuit à parler d'Amazan. Elle ne l'appelait plus que son *berger* ; et c'est depuis ce temps-là que les noms de *berger* [3] et d'*amant* sont toujours employés l'un pour l'autre chez quelques nations.

Tantôt elle demandait à l'oiseau si Amazan avait eu d'autres maîtresses. Il répondait que non, et elle était au comble de la joie. Tantôt elle voulait savoir à quoi il passait sa vie ; et elle apprenait avec transport qu'il l'employait à faire du bien, à cultiver les arts, à pénétrer les secrets de la nature, à perfectionner

1. Au sens classique du terme, qui ont de la chance, et pas nécessairement riches.
2. Femmes d'une grande beauté promises aux bons musulmans dans le paradis d'Allah. Dans l'*Essai sur les mœurs* (*De l'Alcoran* ch. VII), Voltaire apprécie qu'après la résurrection, subsistent « *les plaisirs propres aux sens qui doivent jouir puisqu'ils subsistent* ».
3. Explication évidemment fantaisiste qui renvoie aux « bergeries » : poèmes ou pièces sur le thème de bergers amoureux.

son être [1]. Tantôt elle voulait savoir si l'âme de son oiseau était de la même nature que celle de son amant, pourquoi il avait vécu près de vingt-huit mille ans, tandis que son amant n'en avait que dix-huit ou dix-neuf. Elle faisait cent questions pareilles, auxquelles l'oiseau répondait avec une discrétion [2] qui irritait sa curiosité. Enfin, le sommeil ferma leurs yeux, et livra Formosante à la douce illusion des songes envoyés par les dieux, qui surpassent quelquefois la réalité même, et que toute la philosophie des Chaldéens a bien de la peine à expliquer.

Formosante ne s'éveilla que très tard. Il était petit jour [3] chez elle quand le roi son père entra dans sa chambre. L'oiseau reçut Sa Majesté avec une politesse respectueuse, alla au-devant de lui, battit des ailes, allongea son cou, et se remit sur son oranger. Le roi s'assit sur le lit de sa fille, que ses rêves avaient encore embellie. Sa grande barbe s'approcha de ce beau visage, et après lui avoir donné deux baisers, il lui parla en ces mots :

« Ma chère fille, vous n'avez pu trouver hier un mari, comme je l'espérais ; il vous en faut un pourtant : le salut de mon empire l'exige. J'ai consulté l'oracle, qui, comme vous savez, ne ment jamais, et qui dirige toute ma conduite. Il m'a ordonné de vous faire courir le monde. Il faut que vous voyagiez. — Ah ! chez les Gangarides sans doute », dit la princesse ; et en prononçant ces mots, qui lui échappaient, elle sentit bien qu'elle disait une sottise. Le roi, qui ne savait pas un mot de géographie, lui demanda ce qu'elle entendait par des Gangarides. Elle trouva aisé-

---

1. C'est le programme du philosophe.
2. Prudence et réserve dans les paroles.
3. Littré : *« se dit en parlant d'une personne qui ne fait que s'éveiller »* ; autrement dit, ce n'est pas le lever solennel d'une princesse.

ment une défaite [1]. Le roi lui apprit qu'il fallait faire un pèlerinage ; qu'il avait nommé les personnes de sa suite, le doyen des conseillers d'État, le grand aumônier, une dame d'honneur, un médecin, un apothicaire, et son oiseau, avec tous les domestiques convenables.

Formosante, qui n'était jamais sortie du palais du roi son père, et qui jusqu'à la journée des trois rois et d'Amazan n'avait mené qu'une vie très insipide dans l'étiquette du faste et dans l'apparence des plaisirs, fut ravie d'avoir un pèlerinage à faire. « Qui sait, disait-elle tout bas à son cœur, si les dieux n'inspireront pas à mon cher Gangaride le même désir d'aller à la même chapelle, et si je n'aurai pas le bonheur de revoir le pèlerin ? » Elle remercia tendrement son père, en lui disant qu'elle avait eu toujours une secrète dévotion pour le saint [2] chez lequel on l'envoyait.

Bélus donna un excellent dîner à ses hôtes ; il n'y avait que des hommes. C'étaient tous gens fort mal assortis : rois, princes, ministres, pontifes, tous jaloux les uns des autres, tous pesant leurs paroles, tous embarrassés de leurs voisins et d'eux-mêmes. Le repas fut triste, quoiqu'on y bût beaucoup. Les princesses restèrent dans leurs appartements, occupées chacune de leur départ. Elles mangèrent à leur petit couvert [3]. Formosante ensuite alla se promener dans les jardins avec son cher oiseau, qui, pour l'amuser, vola d'arbre en arbre en étalant sa superbe queue et son divin plumage.

Le roi d'Égypte, qui était chaud de vin, pour ne pas dire ivre, demanda un arc et des flèches à un

---

1. Une façon d'être vaincue.
2. Pour cette utilisation plaisante d'un terme chrétien et non païen, voir p. 33 note 1 et p. 51.
3. Repas sans cérémonie.

de ses pages. Ce prince était à la vérité l'archer le plus maladroit de son royaume. Quand il tirait au blanc [1], la place où l'on était le plus en sûreté était le but où il visait. Mais le bel oiseau, en volant aussi rapidement que la flèche, se présenta lui-même au coup, et tomba tout sanglant entre les bras de Formosante. L'Égyptien, en riant d'un sot rire, se retira dans son quartier. La princesse perça le ciel de ses cris, fondit en larmes, se meurtrit les joues et la poitrine. L'oiseau mourant lui dit tout bas : « Brûlez-moi, et ne manquez pas de porter mes cendres vers l'Arabie Heureuse [2], à l'orient de l'ancienne ville d'Aden ou d'Eden, et de les exposer au soleil sur un petit bûcher de gérofle [3] et de cannelle. » Après avoir proféré ces paroles, il expira. Formosante resta longtemps évanouie et ne revit le jour que pour éclater en sanglots. Son père, partageant sa douleur et faisant des imprécations contre le roi d'Égypte, ne douta pas que cette aventure n'annonçât un avenir sinistre. Il alla vite consulter l'oracle [4] de sa chapelle. L'oracle répondit : « Mélange de tout ; mort vivant, infidélité et constance, perte et gain, calamités et bonheur. » Ni lui ni son conseil n'y purent rien comprendre ; mais enfin il était satisfait d'avoir rempli ses devoirs de dévotion.

Sa fille, éplorée, pendant qu'il consultait l'oracle,

---

1. Viser au cœur de la cible.
2. Région du Yémen Sud de la Péninsule arabique qui s'oppose à l'Arabie déserte (à l'est de Damas) et à l'Arabie pétrée (autour de la ville de Pétra). Aurait mérité son nom en raison de son isolement. Dans l'Arioste *(Roland furieux,* ch. 35), l'oiseau, représenté sur le casque du héros Marphise, est donné comme habitant exclusivement l'Arabie heureuse (voir p. 55 note 2).
3. Girofle.
4. Les oracles « *inventés par des fripons pour duper des imbéciles* » *(Essai sur les mœurs* intr. ch. XXXI, *Des oracles)* maîtrisent l'art de dire tout et son contraire.

fit rendre à l'oiseau les honneurs funèbres qu'il avait ordonnés, et résolut de le porter en Arabie au péril de ses jours. Il fut brûlé dans du lin incombustible avec l'oranger sur lequel il avait couché ; elle en recueillit la cendre dans un petit vase d'or tout entouré d'escarboucles[1] et des diamants qu'on ôta de la gueule du lion. Que ne put-elle, au lieu d'accomplir ce devoir funeste, brûler tout en vie le détestable roi d'Égypte ! C'était là tout son désir. Elle fit tuer, dans son dépit, les deux crocodiles, ses deux hippopotames, ses deux zèbres, ses deux rats, et fit jeter ses deux momies dans l'Euphrate ; si elle avait tenu son bœuf Apis, elle ne l'aurait pas épargné.

Le roi d'Égypte, outré de cet affront, partit sur-le-champ pour faire avancer ses trois cent mille hommes. Le roi des Indes, voyant partir son allié, s'en retourna le jour même, dans le ferme dessein de joindre ses trois cent mille Indiens à l'armée égyptienne. Le roi de Scythie délogea[2] dans la nuit avec la princesse Aldée, bien résolu de venir combattre pour elle à la tête de trois cent mille Scythes, et de lui rendre l'héritage de Babylone, qui lui était dû, puisqu'elle descendait de la branche aînée.

De son côté la belle Formosante se mit en route à trois heures du matin avec sa caravane de pèlerins, se flattant bien qu'elle pourrait aller en Arabie exécuter les dernières volontés de son oiseau, et que la justice des dieux immortels lui rendrait son cher Amazan sans qui elle ne pouvait plus vivre.

Ainsi, à son réveil, le roi de Babylone ne trouva plus personne. « Comme les grandes fêtes se terminent, disait-il, et comme elles laissent un vide étonnant dans l'âme, quand le fracas est passé. » Mais il

---

1. Nom ancien (celui des épopées médiévales) d'une pierre fine, le grenat.
2. Décampa, s'en alla.

fut transporté d'une colère vraiment royale lorsqu'il apprit qu'on avait enlevé la princesse Aldée. Il donna ordre qu'on éveillât tous ses ministres, et qu'on assemblât le conseil. En attendant qu'ils vinssent, il ne manqua pas de consulter son oracle ; mais il ne put jamais en tirer que ces paroles si célèbres depuis dans tout l'univers : *Quand on ne marie pas les filles, elles se marient elles-mêmes.*

Aussitôt l'ordre fut donné de faire marcher trois cent mille hommes contre le roi des Scythes. Voilà donc la guerre la plus terrible allumée de tous les côtés ; et elle fut produite par les plaisirs de la plus belle fête qu'on ait jamais donnée sur la terre. L'Asie allait être désolée par quatre armées de trois cent mille combattants chacune. On sent bien que la guerre de Troie [1] qui étonna le monde quelques siècles après, n'était qu'un jeu d'enfants en comparaison ; mais aussi on doit considérer que dans la querelle des Troyens il ne s'agissait que d'une vieille femme fort libertine [2] qui s'était fait enlever deux fois, au lieu qu'ici il s'agissait de deux filles et d'un oiseau.

Le roi des Indes allait attendre son armée sur le grand et magnifique chemin qui conduisait alors en droiture [3] de Babylone à Cachemire. Le roi des Scythes courait avec Aldée par la belle route qui menait au mont Imaüs [4]. Tous ces chemins ont disparu dans

---

1. Guerre légendaire entre les Grecs et les Troyens dont un épisode fait le sujet de la célèbre épopée homérique l'*Iliade* (voir note suivante).
2. Présentation irrespectueuse de la plus belle femme du monde enlevée (consentante, disent les médisants) par le Troyen Pâris à qui Aphrodite l'avait promise, ce qui provoqua la guerre de Troie. Selon une légende inconnue d'Homère, elle aurait déjà eu quelques faiblesses pour le grec Thésée.
3. Vieilli pour « en droite ligne ».
4. Chaîne montagneuse de Scythie.

la suite par le mauvais gouvernement. Le roi d'Égypte avait marché à l'occident, et côtoyait la petite mer Méditerranée, que les ignorants[1] Hébreux ont depuis nommée *la Grande Mer.*

A l'égard de la belle Formosante, elle suivait le chemin de Bassora[2], planté de hauts palmiers qui fournissaient un ombrage éternel et des fruits dans toutes les saisons. Le temple où elle allait en pèlerinage était dans Bassora même. Le saint à qui ce temple avait été dédié était à peu près dans le goût de celui qu'on adora depuis à Lampsaque[3]. Non seulement il procurait des maris aux filles, mais il tenait lieu souvent de mari. C'était le saint le plus fêté de toute l'Asie.

Formosante ne se souciait point du tout du saint de Bassora : elle n'invoquait que son cher berger gangaride, son bel Amazan. Elle comptait s'embarquer à Bassora, et entrer dans l'Arabie Heureuse pour faire ce que l'oiseau mort avait ordonné.

A la troisième couchée[4], à peine était-elle entrée dans une hôtellerie où ses fourriers[5] avaient tout préparé pour elle, qu'elle apprit que le roi d'Égypte y entrait aussi. Instruit de la marche de la princesse par ses espions, il avait sur-le-champ changé de route, suivi d'une nombreuse escorte. Il arrive ; il fait placer des sentinelles à toutes les portes ; il monte dans la chambre de la belle Formosante, et lui dit : « Mademoiselle, c'est vous précisément que je cherchais ;

---

1. Voltaire a plaisir à rappeler que la Bible ignore les grands océans.
2. Bassorah, ville de l'Irak actuel.
3. Ville de la côte orientale de l'Hellespont. On y rendait un culte à Priape, fils d'Aphrodite et de Dionysos, représenté avec un membre viril démesuré.
4. Étape, lieu où l'on couche en voyage.
5. Ceux qui précèdent une troupe pour préparer vivres et logements.

vous avez fait très peu de cas de moi lorsque j'étais à Babylone ; il est juste de punir les dédaigneuses et les capricieuses : vous aurez, s'il vous plaît, la bonté de souper avec moi ce soir ; vous n'aurez point d'autre lit que le mien, et je me conduirai avec vous selon que j'en serai content. »

Formosante vit bien qu'elle n'était pas la plus forte ; elle savait que le bon esprit consiste à se conformer à sa situation ; elle prit le parti de se délivrer du roi d'Égypte par une innocente adresse : elle le regarda du coin de l'œil, ce qui plusieurs siècles après s'est appelé *lorgner*[1] ; et voici comme elle lui parla avec une modestie, une grâce, une douceur, un embarras, et une foule de charmes qui auraient rendu fou le plus sage des hommes, et aveuglé le plus clairvoyant :

« Je vous avoue, monsieur, que je baissai toujours les yeux devant vous quand vous fîtes l'honneur au roi mon père de venir chez lui. Je craignais mon cœur, je craignais ma simplicité trop naïve : je tremblais que mon père et vos rivaux ne s'aperçussent de la préférence que je vous donnais, et que vous méritez si bien. Je puis à présent me livrer à mes sentiments. Je jure par le bœuf Apis, qui est, après vous, tout ce que je respecte le plus au monde, que vos propositions m'ont enchantée. J'ai déjà soupé avec vous chez le roi mon père ; j'y souperai encore bien ici sans qu'il soit de la partie ; tout ce que je vous demande, c'est que votre grand aumônier boive avec nous ; il m'a paru à Babylone un très bon convive ; j'ai d'excellent vin de Chiras[2], je veux vous en faire goûter à tous deux. A l'égard de votre seconde proposition, elle est très engageante ; mais il ne convient pas

_____

1. Examiner à la dérobée, regarder une personne de manière à faire croire qu'elle vous plaît.
2. Vins de l'Iran, encore réputés aujourd'hui.

à une fille bien née d'en parler : qu'il vous suffise de savoir que je vous regarde comme le plus grand des rois et le plus aimable des hommes. »

Ce discours fit tourner la tête au roi d'Égypte ; il voulut bien que l'aumônier fût en tiers. « J'ai encore une grâce à vous demander, lui dit la princesse ; c'est de permettre que mon apothicaire [1] vienne me parler : les filles ont toujours de certaines petites incommodités qui demandent de certains soins, comme vapeurs de tête, battements de cœur, coliques, étouffements, auxquels il faut mettre un certain ordre dans de certaines circonstances ; en un mot, j'ai un besoin pressant de mon apothicaire, et j'espère que vous ne me refuserez pas cette légère marque d'amour.

— Mademoiselle, lui répondit le roi d'Égypte, quoiqu'un apothicaire ait des vues précisément opposées aux miennes, et que les objets de son art soient le contraire de ceux du mien, je sais trop bien vivre pour vous refuser une demande si juste : je vais ordonner qu'il vienne vous parler en attendant le souper ; je conçois que vous devez être un peu fatiguée du voyage ; vous devez aussi avoir besoin d'une femme de chambre, vous pourrez faire venir celle qui vous agréera davantage ; j'attendrai ensuite vos ordres et votre commodité. » Il se retira ; l'apothicaire et la femme de chambre nommée Irla arrivèrent. La princesse avait en elle une entière confiance ; elle lui ordonna de faire apporter six bouteilles de vin de Chiras pour le souper, et d'en faire boire de pareil à tous les sentinelles [2] qui tenaient ses officiers aux arrêts ; puis elle recommanda à l'apothicaire de faire mettre dans

---

1. Pharmacien qui prépare des médicaments. La plaisanterie molièresque faite ensuite par le roi d'Égypte correspond sans doute au fait qu'il pouvait préparer des lavements.

2. L'emploi du masculin est exceptionnel.

toutes les bouteilles certaines drogues de sa pharmacie qui faisaient dormir les gens vingt-quatre heures, et dont il était toujours pourvu. Elle fut ponctuellement obéie. Le roi revint avec le grand aumônier au bout d'une demi-heure : le souper fut très gai ; le roi et le prêtre vidèrent les six bouteilles, et avouèrent qu'il n'y avait pas de si bon vin en Égypte ; la femme de chambre eut soin d'en faire boire aux domestiques qui avaient servi. Pour la princesse, elle eut grande attention de n'en point boire, disant que son médecin l'avait mise au régime. Tout fut bientôt endormi.

L'aumônier du roi d'Égypte avait la plus belle barbe que pût porter un homme de sa sorte. Formosante la coupa très adroitement ; puis, l'ayant fait coudre à un petit ruban, elle l'attacha à son menton. Elle s'affubla de la robe du prêtre [1] et de toutes les marques de sa dignité, habilla sa femme de chambre en sacristain de la déesse Isis ; enfin, s'étant munie de son urne et de ses pierreries, elle sortit de l'hôtellerie à travers les sentinelles, qui dormaient comme leur maître. La suivante avait eu soin de faire tenir à la porte deux chevaux prêts. La princesse ne pouvait mener avec elle aucun des officiers de sa suite : ils auraient été arrêtés par les grandes gardes.

Formosante et Irla passèrent à travers des haies de soldats qui, prenant la princesse pour le grand prêtre, l'appelaient *mon révérendissime père en Dieu* [2], et lui demandaient sa bénédiction. Les deux fugitives arrivent en vingt-quatre heures à Bassora, avant que le roi fût éveillé. Elles quittèrent alors leur déguisement, qui eût pu donner des soupçons. Elles frétèrent au

---

1. Candide aussi (ch. XV) s'échappe sous les habits d'un jésuite.
2. Titre d'honneur réservé aux archevêques et aux supérieurs des ordres religieux.

plus vite un vaisseau qui les porta, par le détroit d'Ormus [1], au beau rivage d'Éden [2], dans l'Arabie Heureuse. C'est cet Éden dont les jardins furent si renommés qu'on en fit depuis la demeure des justes ; ils furent le modèle des Champs Élysées [3], des jardins des Hespérides [4], et de ceux des îles Fortunées [5] : car, dans ces climats chauds, les hommes n'imaginèrent point de plus grande béatitude que les ombrages et les murmures des eaux. Vivre éternellement dans les cieux avec l'Être suprême, ou aller se promener dans le jardin, dans le paradis, fut la même chose [6] pour les hommes, qui parlent toujours sans s'entendre, et qui n'ont pu guère avoir encore d'idées nettes ni d'expressions justes.

Dès que la princesse se vit dans cette terre, son premier soin fut de rendre à son cher oiseau les honneurs funèbres qu'il avait exigés d'elle. Ses belles mains dressèrent un petit bûcher de gérofle [7] et de cannelle. Quelle fut sa surprise lorsqu'ayant répandu les cendres de l'oiseau sur ce bûcher, elle le vit

---

1. Ou Ormuz : entre le golfe Persique et la mer d'Oman (voir carte p. 14).

2. Voir p. 48 note 2 ; Voltaire fait de ce pays un tableau idyllique qui n'a pas plus de raison d'être que l'assimilation de la ville d'Aden à l'Eden ou paradis terrestre de la Genèse. Mais ces notations géographiques discutables correspondent aux représentations du temps.

3. Partie des Enfers où séjournent les âmes des héros et des hommes vertueux dans la mythologie gréco-romaine.

4. Dans la mythologie grecque, nymphes du couchant qui veillaient sur le jardin des dieux, situé au-delà des colonnes d'Hercule (le détroit de Gibraltar), soit la limite extrême du monde connu (peut-être les îles Canaries), où poussaient des pommes d'or.

5. Ou îles des Bienheureux (voir sens de « fortuné » p. 45 note 2) : séjour des hommes juste après leur mort, près du jardin des Hespérides.

6. Mise en cause irrespectueuse des joies offertes par le Paradis chrétien (voir aussi p. 45 note 2).

7. Voir p. 48.

s'enflammer de lui-même ! Tout fut bientôt consumé. Il ne parut, à la place des cendres, qu'un gros œuf dont elle vit sortir son oiseau plus brillant qu'il ne l'avait jamais été. Ce fut le plus beau des moments que la princesse eût éprouvés dans toute sa vie ; il n'y en avait qu'un qui pût lui être plus cher : elle le désirait, mais elle ne l'espérait pas.

« Je vois bien, dit-elle à l'oiseau, que vous êtes le phénix dont on m'avait tant parlé. Je suis prête à mourir d'étonnement et de joie. Je ne croyais point à la résurrection [1] ; mais mon bonheur m'en a convaincue. — La résurrection, madame, lui dit le phénix, est la chose du monde la plus simple. Il n'est pas plus surprenant de naître deux fois qu'une. Tout est résurrection dans ce monde ; les chenilles ressuscitent en papillons ; un noyau mis en terre ressuscite en arbre ; tous les animaux ensevelis dans la terre ressuscitent en herbes, en plantes, et nourrissent d'autres animaux dont ils font bientôt une partie de la substance : toutes les particules qui composaient les corps sont changées en différents êtres. Il est vrai que je suis le seul à qui le puissant Orosmade [2] ait fait la grâce de ressusciter dans sa propre nature. »

Formosante, qui, depuis le jour qu'elle vit Amazan et le phénix pour la première fois, avait passé toutes ses heures à s'étonner, lui dit : « Je conçois bien que le grand Être ait pu former de vos cendres un phénix à peu près semblable à vous ; mais que vous soyez précisément la même personne, que vous ayez la même âme, j'avoue que je ne le comprends pas bien clairement. Qu'est devenue votre âme pendant que je vous portais dans ma poche après votre mort ?

— Eh ! mon Dieu ! madame, n'est-il pas aussi

---

1. La phrase évoque nécessairement le dogme chrétien de la résurrection des corps.
2. Voir p. 38 note 1.

facile au grand Orosmade de continuer son action sur une petite étincelle de moi-même que de commencer cette action ? Il m'avait accordé auparavant le sentiment, la mémoire et la pensée[1] ; il me les accorde encore ; qu'il ait attaché cette faveur à un atome de feu élémentaire caché dans moi, ou à l'assemblage de mes organes, cela ne fait rien au fond : les phénix et les hommes ignoreront[2] toujours comment la chose se passe ; mais la plus grande grâce que l'Être suprême m'ait accordée est de me faire renaître pour vous. Que ne puis-je passer les vingt-huit mille ans que j'ai encore à vivre jusqu'à ma prochaine résurrection entre vous et mon cher Amazan !

— Mon phénix, lui repartit la princesse, songez que les premières paroles que vous me dîtes à Babylone, et que je n'oublierai jamais, me flattèrent de l'espérance de revoir ce cher berger que j'idolâtre : il faut absolument que nous allions ensemble chez les Gangarides, et que je le ramène à Babylone. — C'est bien mon dessein, dit le phénix ; il n'y a pas un moment à perdre. Il faut aller trouver Amazan par le plus court chemin, c'est-à-dire par les airs. Il y a dans l'Arabie Heureuse deux griffons[3], mes amis intimes, qui ne demeurent qu'à cent cinquante milles[4] d'ici : je vais leur écrire par la poste aux pigeons ; ils viendront avant la nuit. Nous aurons tout le temps de vous faire travailler[5] un petit canapé commode avec des tiroirs où l'on

---

1. Les trois attributs indissociables de l'esprit humain selon Voltaire (voir *Les aventures de la mémoire*) (voir aussi p. 39 note 2).
2. Pour Voltaire, la sagesse est de renoncer à comprendre ce qui nous dépasse et de travailler à améliorer la vie sur terre.
3. Voir pp. 40-41 pour la description de cet animal mythologique. Il est également représenté avec un corps de lion et, ce qui l'apparente au phénix, la tête d'un aigle.
4. Sans doute des milles romains, de mille pas = 1 482 m.
5. Faire fabriquer par des ouvriers ; cf. un meuble « travaillé ».

mettra vos provisions de bouche. Vous serez très à votre aise dans cette voiture avec votre demoiselle. Les deux griffons sont les plus vigoureux de leur espèce ; chacun d'eux tiendra un des bras du canapé[1] entre ses griffes. Mais, encore une fois, les moments sont chers. » Il alla sur-le-champ avec Formosante commander le canapé à un tapissier de sa connaissance. Il fut achevé en quatre heures. On mit dans les tiroirs des petits pains à la reine[2], des biscuits meilleurs que ceux de Babylone, des poncires[3], des ananas, des cocos, des pistaches, et du vin d'Éden, qui l'emporte sur le vin de Chiras autant que celui de Chiras est au-dessus de celui de Suresne[4].

Le canapé était aussi léger que commode et solide. Les deux griffons arrivèrent dans Éden à point nommé. Formosante et Irla se placèrent dans la voiture. Les deux griffons l'enlevèrent comme une plume. Le phénix tantôt volait auprès, tantôt se perchait sur le dossier. Les deux griffons cinglè-rent vers le Gange avec la rapidité d'une flèche qui fend les airs. On ne se reposait que la nuit pendant quelques moments pour manger, et pour faire boire un coup aux deux voituriers.

On arriva enfin chez les Gangarides. Le cœur de la princesse palpitait d'espérance, d'amour et de joie. Le phénix fit arrêter la voiture devant la maison d'Amazan : il demande à lui parler ; mais il y avait trois heures qu'il en était parti, sans qu'on sût où il était allé.

Il n'y a point de termes dans la langue même des

---

1. Un meuble inventé par les ébénistes français du XVIIIe siècle.
2. Petits pains au lait très appréciés de Marie de Médicis (1573-1642), d'où leur nom.
3. Variété de citronnier dont le fruit sert à faire des confiseries.
4. Vin courant à Paris mais de qualité médiocre.

Gangarides qui puissent exprimer le désespoir dont Formosante fut accablée. « Hélas ! voilà ce que j'avais craint, dit le phénix ; les trois heures que vous avez passées dans votre hôtellerie sur le chemin de Bassora avec ce malheureux roi d'Égypte vous ont enlevé peut-être pour jamais le bonheur de votre vie ; j'ai bien peur que nous n'ayons perdu Amazan sans retour. »

Alors il demanda aux domestiques si on pouvait saluer madame sa mère. Ils répondirent que son mari était mort l'avant-veille et qu'elle ne voyait personne. Le phénix, qui avait du crédit dans la maison, ne laissa pas de faire entrer la princesse de Babylone dans un salon dont les murs étaient revêtus de bois d'oranger à filets d'ivoire ; les sous-bergers [1] et les sous-bergères, en longues robes blanches ceintes de garnitures aurore, lui servirent dans cent corbeilles de simple porcelaine [2] cent mets délicieux, parmi lesquels on ne voyait aucun cadavre déguisé : c'était du riz, du sagou [3], de la semoule, du vermicelle, des macaronis, des omelettes, des œufs au lait, des fromages à la crème, des pâtisseries de toute espèce, des légumes, des fruits d'un parfum et d'un goût dont on n'a point d'idée dans les autres climats ; c'était une profusion de liqueurs [4] rafraîchissantes, supérieures aux meilleurs vins.

Pendant que la princesse mangeait, couchée sur un lit de roses, quatre pavons, ou paons, ou pans, heureu-

---

1. Parodie des titres et des grades dans les sociétés européennes. Le Phénix nous a pourtant dit que tous les bergers gangarides étaient égaux (p. 43).

2. Ce produit de grand luxe venait de Chine et, au XVIIIᵉ siècle, les manufacturiers européens essaient de fournir eux-mêmes le marché.

3. Moelle de certains palmiers dont on extrait une sorte de tapioca.

4. Liquides, boissons.

sement muets [1], l'éventaient de leurs brillantes ailes ; deux cents oiseaux, cent bergers et cent bergères lui donnèrent un concert à deux chœurs ; les rossignols, les serins, les fauvettes, les pinsons, chantaient le dessus [2] avec les bergères ; les bergers faisaient la haute contre [3] et la basse : c'était en tout la belle et simple nature. La princesse avoua que, s'il y avait plus de magnificence à Babylone, la nature était mille fois plus agréable chez les Gangarides ; mais, pendant qu'on lui donnait cette musique si consolante et si voluptueuse, elle versait des larmes ; elle disait à la jeune Irla sa compagne : « Ces bergers et ces bergères, ces rossignols et ces serins font l'amour [4], et moi, je suis privée du héros gangaride, digne objet de mes très tendres et très impatients désirs. »

Pendant qu'elle faisait ainsi collation [5], qu'elle admirait et qu'elle pleurait, le phénix disait à la mère d'Amazan : « Madame, vous ne pouvez vous dispenser de voir la princesse de Babylone ; vous savez... — Je sais tout, dit-elle, jusqu'à son aventure dans l'hôtellerie sur le chemin de Bassora ; un merle m'a tout conté ce matin ; et ce cruel merle est cause que mon fils, au désespoir, est devenu fou, et a quitté la maison paternelle. — Vous ne savez donc pas, reprit le phénix, que la princesse m'a ressuscité ? — Non, mon cher enfant ; je savais par le merle que vous étiez mort, et j'en étais inconsolable. J'étais si affligée de cette perte, de la mort de mon mari, et du départ précipité de mon fils, que j'avais fait défendre ma porte. Mais puisque la princesse de Babylone me fait l'honneur de

---

1. Le cri du paon est assez désagréable.
2. La partie la plus haute (par opposition à la basse).
3. Voix de ténor claire et aiguë, proche de celle du contralto.
4. Se font la cour, chantent des relations amoureuses.
5. Repas léger.

me venir voir, faites-la entrer au plus vite ; j'ai des choses de la dernière conséquence[1] à lui dire, et je veux que vous y soyez présent. » Elle alla aussitôt dans un autre salon au-devant de la princesse. Elle ne marchait pas facilement : c'était une dame d'environ trois cents années[2] ; mais elle avait encore de beaux restes, et on voyait bien que vers les deux cent trente à quarante ans elle avait été charmante. Elle reçut Formosante avec une noblesse respectueuse, mêlée d'un air d'intérêt et de douleur qui fit sur la princesse une vive impression.

Formosante lui fit d'abord ses tristes compliments sur la mort de son mari. « Hélas ! dit la veuve, vous devez vous intéresser à sa perte plus que vous ne pensez. — J'en suis touchée sans doute, dit Formosante ; il était le père de... » A ces mots elle pleura. « Je n'étais venue que pour lui et à travers bien des dangers. J'ai quitté pour lui mon père et la plus brillante cour de l'univers ; j'ai été enlevée par un roi d'Égypte que je déteste. Échappée à ce ravisseur, j'ai traversé les airs pour venir voir ce que j'aime ; j'arrive, et il me fuit ! » Les pleurs et les sanglots l'empêchèrent d'en dire davantage.

La mère lui dit alors : « Madame, lorsque le roi d'Égypte vous ravissait, lorsque vous soupiez avec lui dans un cabaret sur le chemin de Bassora, lorsque vos belles mains lui versaient du vin de Chiras, vous souvenez-vous d'avoir vu un merle qui voltigeait dans la chambre ? — Vraiment oui, vous m'en rappelez la mémoire[3] ; je n'y avais pas fait d'attention ; mais, en recueillant mes idées, je me souviens très

---

1. Qui ont les conséquences les plus grandes.
2. Exagération caractéristique du conte ; Voltaire est par ailleurs convaincu de l'excellence du climat de l'Inde qui assurerait la longévité.
3. Le souvenir.

bien qu'au moment que le roi d'Égypte se leva de table pour me donner un baiser, le merle s'envola par la fenêtre en jetant un grand cri, et ne reparut plus.

— Hélas ! madame, reprit la mère d'Amazan, voilà ce qui fait précisément le sujet de nos malheurs ; mon fils avait envoyé ce merle s'informer de l'état de votre santé et de tout ce qui se passait à Babylone ; il comptait revenir bientôt se mettre à vos pieds et vous consacrer sa vie. Vous ne savez pas à quel excès [1] il vous adore. Tous les Gangarides sont amoureux et fidèles ; mais mon fils est le plus passionné et le plus constant de tous. Le merle vous rencontra dans un cabaret ; vous buviez très gaiement avec le roi d'Égypte et un vilain prêtre ; il vous vit enfin donner un tendre baiser à ce monarque, qui avait tué le phénix, et pour qui mon fils conserve une horreur invincible. Le merle à cette vue fut saisi d'une juste indignation ; il s'envola en maudissant vos funestes [2] amours ; il est revenu aujourd'hui, il a tout conté ; mais dans quels moments, juste ciel ! dans le temps où mon fils pleurait avec moi la mort de son père et celle du phénix ; dans le temps qu'il apprenait de moi qu'il est votre cousin issu de germain !

— O ciel ! mon cousin ! madame, est-il possible ? par quelle aventure ? comment ? quoi ! je serais heureuse à ce point ! et je serais en même temps assez infortunée pour l'avoir offensé !

— Mon fils est votre cousin, vous dis-je, reprit la mère, et je vais bientôt vous en donner la preuve ; mais en devenant ma parente vous m'arrachez mon

1. A quel degré excessif.
2. Fatal, mortel, qui porte malheur.

fils ; il ne pourra survivre à [1] la douleur que lui a causée votre baiser donné au roi d'Égypte.

— Ah ! ma tante, s'écria la belle Formosante, je jure par lui et par le puissant Orosmade [2] que ce baiser funeste, loin d'être criminel, était la plus forte preuve d'amour que je pusse donner à votre fils. Je désobéissais à mon père pour lui. J'allais pour lui de l'Euphrate au Gange. Tombée entre les mains de l'indigne pharaon d'Égypte, je ne pouvais lui échapper qu'en le trompant. J'en atteste les cendres et l'âme du phénix, qui étaient alors dans ma poche ; il peut me rendre justice ; mais comment votre fils, né sur les bords du Gange, peut-il être mon cousin, moi dont la famille règne sur les bords de l'Euphrate depuis tant de siècles ?

— Vous savez, lui dit la vénérable Gangaride, que votre grand-oncle Aldée était roi de Babylone, et qu'il fut détrôné par le père de Bélus. — Oui madame. — Vous savez que son fils Aldée avait eu de son mariage la princesse Aldée, élevée dans votre cour. C'est ce prince, qui, étant persécuté par votre père, vint se réfugier dans notre heureuse contrée, sous un autre nom ; c'est lui qui m'épousa ; j'en ai eu le jeune prince Aldée-Amazan, le plus beau, le plus fort, le plus courageux, le plus vertueux des mortels, et aujourd'hui le plus fou. Il alla aux fêtes de Babylone sur la réputation de votre beauté : depuis ce temps-là il vous idolâtre, et peut-être je ne reverrai jamais mon cher fils. »

Alors elle fit déployer devant la princesse tous les titres [3] de la maison des Aldées ; à peine Formosante daigna les regarder. « Ah ! madame, s'écria-t-elle,

---

1. Dans le *Roland furieux* de l'Arioste, Roland perd la raison quand il découvre qu'Angélique dont il est épris, en aime un autre.
2. Voir p. 38 note 1.
3. Papiers prouvant la noblesse de la famille.

examine-t-on ce qu'on désire ? Mon cœur vous en croit assez. Mais où est Aldée-Amazan ? où est mon parent, mon amant, mon roi ? où est ma vie ? quel chemin a-t-il pris ? J'irais le chercher dans tous les globes que l'Éternel a formés, et dont il est le plus bel ornement. J'irais dans l'étoile Canope, dans Sheat, dans Aldébaran [1] ; j'irais le convaincre de mon amour et de mon innocence. »

Le phénix justifia la princesse du crime que lui imputait le merle d'avoir donné par amour un baiser au roi d'Égypte ; mais il fallait détromper Amazan et le ramener. Il envoie des oiseaux sur tous les chemins ; il met en campagne les licornes : on lui rapporte enfin qu'Amazan a pris la route de la Chine. « Eh bien ! allons à la Chine [2], s'écria la princesse ; le voyage n'est pas long ; j'espère bien vous ramener votre fils dans quinze jours au plus tard. » A ces mots, que de larmes de tendresse versèrent la mère gangaride et la princesse de Babylone ! que d'embrassements ! que d'effusion de cœur !

Le phénix commanda sur-le-champ un carrosse à six licornes. La mère fournit deux cents cavaliers, et fit présent à la princesse, sa nièce, de quelques milliers des plus beaux diamants du pays. Le phénix, affligé du mal que l'indiscrétion du merle avait causé, fit ordonner à tous les merles de vider le pays ; et c'est depuis ce temps qu'il ne s'en trouve plus sur les bords du Gange.

---

1. On reconnaît *(voir Micromégas)* le thème des autres mondes possibles. Canope (ou Canopus) Sheat, Aldébaran : noms d'étoiles.
2. Cet emploi de « à la » devant un nom féminin singulier dure encore au XIXᵉ siècle.

V

Les licornes, en moins de huit jours, amenèrent Formosante, Irla et le phénix à Cambalu [1], capitale de la Chine. C'était une ville plus grande que Babylone, et d'une espèce de magnificence toute différente. Ces nouveaux objets, ces mœurs nouvelles, auraient amusé Formosante si elle avait pu être occupée d'autre chose que d'Amazan.

Dès que l'empereur de la Chine eut appris que la Princesse de Babylone était à une porte de la ville, il lui dépêcha quatre mille mandarins en robes de cérémonie ; tous se prosternèrent devant elle, et lui présentèrent chacun un compliment écrit en lettres d'or sur une feuille de soie pourpre. Formosante leur dit que si elle avait quatre mille langues, elle ne manquerait pas de répondre sur-le-champ à chaque mandarin ; mais que, n'en ayant qu'une, elle le priait de trouver bon qu'elle s'en servît pour les remercier tous en général. Ils la conduisirent respectueusement chez l'empereur.

C'était le monarque de la terre le plus juste, le plus poli, et le plus sage. Ce fut lui qui, le premier, laboura un petit champ de ses mains impériales, pour rendre l'agriculture respectable à son peuple. Il établit, le premier, des prix pour la vertu. Les lois, partout ailleurs, étaient honteusement bornées à punir les crimes [2]. Cet empereur venait de chasser de ses États une troupe de bonzes étrangers [3] qui étaient venus du

---

1. Cambalu : nom donné par Marco Polo à Pékin.
2. Même éloge dans l'*Essai sur les mœurs*, Voltaire attribuant aux Chinois ses propres convictions : « *dans les autres pays les lois punissent les crimes. A la Chine, elles récompensent les vertus* » (*De La Chine*, ch. I). L'empereur, en bon philosophe, honore le travail, impose la tolérance.
3. Allusion anachronique à l'expulsion des jésuites par l'empereur Young-Tching en 1724.

fond de l'Occident, dans l'espoir insensé de forcer toute la Chine à penser comme eux, et qui, sous prétexte d'annoncer des vérités, avaient acquis déjà des richesses et des honneurs. Il leur avait dit, en les chassant, ces propres paroles enregistrées dans les annales de l'empire :

« Vous pourriez faire ici autant de mal que vous en avez fait ailleurs : vous êtes venus prêcher des dogmes [1] d'intolérance chez la nation la plus tolérante de la terre. Je vous renvoie pour n'être jamais forcé de vous punir. Vous serez reconduits honorablement sur mes frontières ; on vous fournira tout pour retourner aux bornes de l'hémisphère dont vous êtes partis. Allez en paix si vous pouvez être en paix, et ne revenez plus. »

La princesse de Babylone apprit avec joie ce jugement et ce discours ; elle en était plus sûre d'être bien reçue à la cour, puisqu'elle était très éloignée d'avoir des dogmes intolérants. L'empereur de la Chine, en dînant avec elle tête à tête, eut la politesse de bannir l'embarras de toute étiquette gênante ; elle lui présenta le phénix, qui fut très caressé [2] de l'empereur, et qui se percha sur son fauteuil. Formosante, sur la fin du repas, lui confia ingénument le sujet de son voyage, et le pria de faire chercher dans Cambalu le bel Amazan, dont elle lui conta l'aventure, sans lui rien cacher de la fatale passion dont son cœur était enflammé pour ce jeune héros. « A qui en parlez-vous ? lui dit l'empereur de la Chine ; il m'a fait le plaisir de venir dans ma cour ; il m'a enchanté, cet aimable Amazan : il est vrai qu'il est profondément affligé ; mais ses grâces n'en sont que plus touchantes ; aucun de mes favoris n'a plus d'esprit que lui ;

---

1. Affirmations que l'Église estime indiscutables.
2. Reçut des marques d'amabilité, d'attention.

nul mandarin de robe [1] n'a de plus vastes connaissances ; nul mandarin d'épée n'a l'air plus martial et plus héroïque ; son extrême jeunesse donne un nouveau prix à tous ses talents ; si j'étais assez malheureux, assez abandonné du Tien et du Changti [2] pour vouloir être conquérant, je prierais Amazan de se mettre à la tête de mes armées, et je serais sûr de triompher de l'univers entier. C'est bien dommage que son chagrin lui dérange quelquefois l'esprit.

— Ah ! monsieur, lui dit Formosante avec un air enflammé et un ton de douleur, de saisissement et de reproche, pourquoi ne m'avez-vous pas fait dîner avec lui ? Vous me faites mourir ; envoyez-le prier tout à l'heure.

— Madame il est parti ce matin, et il n'a point dit dans quelle contrée il portait ses pas. » Formosante se tourna vers le phénix : « Eh bien, dit-elle, phénix, avez-vous jamais vu une fille plus malheureuse que moi ? Mais, monsieur, continua-t-elle, comment, pourquoi a-t-il pu quitter si brusquement une cour aussi polie que la vôtre, dans laquelle il me semble qu'on voudrait passer sa vie ?

— Voici, madame, ce qui est arrivé. Une princesse du sang [3], des plus aimables, s'est éprise de passion pour lui, et lui a donné un rendez-vous chez elle à midi ; il est parti au point du jour, et il a laissé ce billet, qui a coûté bien des larmes à ma parente.

« Belle princesse du sang de la Chine, vous méritez un cœur qui n'ait jamais été qu'à vous ; j'ai juré aux dieux immortels de n'aimer jamais que Formosante, princesse de Babylone, et de lui apprendre comment

—————

1. Transposition fantaisiste de la distinction de deux sortes de noblesse en France.

2. Tien : principe de toutes choses ; Changti : dieu de l'Univers, termes connus de Voltaire grâce aux discussions des missionnaires et jésuites à leur sujet.

3. Proche parente du roi.

on peut dompter ses désirs dans ses voyages ; elle a eu le malheur de succomber avec un indigne roi d'Égypte : je suis le plus malheureux des hommes ; j'ai perdu mon père et le phénix, et l'espérance d'être aimé de Formosante ; j'ai quitté ma mère affligée, ma patrie, ne pouvant vivre un moment dans les lieux où j'ai appris que Formosante en aimait un autre que moi ; j'ai juré de parcourir la terre et d'être fidèle. Vous me mépriseriez, et les dieux me puniraient, si je violais mon serment ; prenez un amant [1], madame, et soyez aussi fidèle que moi. »

— Ah ! laissez-moi cette étonnante lettre, dit la belle Formosante, elle fera ma consolation ; je suis heureuse dans mon infortune. Amazan m'aime ; Amazan renonce pour moi à la possession des princesses de la Chine ; il n'y a que lui sur la terre capable de remporter une telle victoire ; il me donne un grand exemple ; le phénix sait que je n'en avais pas besoin ; il est bien cruel d'être privée de son amant pour le plus innocent des baisers donné par pure fidélité. Mais enfin où est-il allé ? quel chemin a-t-il pris ? daignez me l'enseigner, et je pars. »

L'empereur de la Chine lui répondit qu'il croyait, sur les rapports qu'on lui avait faits, que son amant avait suivi une route qui menait en Scythie [2]. Aussitôt les licornes furent attelées, et la princesse, après les plus tendres compliments, prit congé de l'empereur avec le phénix, sa femme de chambre Irla et toute sa suite.

Dès qu'elle fut en Scythie, elle vit plus que jamais combien les hommes et les gouvernements diffèrent, et différeront toujours jusqu'au temps où quelque

---

1. Voir p. 19 note 4.
2. Voir p. 17 note 5. La Scythie, longtemps peuplée de nomades, sert à refuser le thème rousseauiste de l'excellence de sociétés supposées plus proches de la nature.

peuple plus éclairé que les autres communiquera la lumière de proche en proche après mille siècles de ténèbres, et qu'il se trouvera dans des climats barbares des âmes héroïques qui auront la force et la persévérance de changer les brutes en hommes. Point de villes en Scythie, par conséquent point d'arts [1] agréables. On ne voyait que de vastes prairies et des nations entières sous des tentes et sur des chars. Cet aspect imprimait la terreur. Formosante demanda dans quelle tente ou dans quelle charrette logeait le roi. On lui dit que depuis huit jours il s'était mis en marche à la tête de trois cent mille hommes de cavalerie pour aller à la rencontre du roi de Babylone, dont il avait enlevé la nièce, la belle princesse Aldée. « Il a enlevé ma cousine ! s'écria Formosante ; je ne m'attendais pas à cette nouvelle aventure. Quoi ! ma cousine, qui était trop heureuse de me faire la cour, est devenue reine, et je ne suis pas encore mariée ! » Elle se fit conduire incontinent aux tentes de la reine.

Leur réunion inespérée dans ces climats lointains, les choses singulières qu'elles avaient mutuellement à s'apprendre, mirent dans leur entrevue un charme qui leur fit oublier qu'elles ne s'étaient jamais aimées ; elles se revirent avec transport ; une douce illusion se mit à la place de la vraie tendresse ; elles s'embrassèrent en pleurant, et il y eut même entre elles de la cordialité et de la franchise, attendu que l'entrevue ne se faisait pas dans un palais.

Aldée reconnut le phénix et la confidente Irla ; elle donna des fourrures de zibeline [2] à sa cousine, qui lui donna des diamants. On parla de la guerre que les

---

1. Désigne toutes les productions, y compris artisanales ou manufacturières. L'archéologie révèle aujourd'hui la beauté de l'orfèvrerie scythe (VIIIe s. avant J.-C.). Mais Voltaire tient à désigner la ville comme le foyer de la civilisation.

2. Zibeline : petit mammifère à la fourrure de grand prix, chassé au Japon, en Russie.

deux rois entreprenaient ; on déplora la condition des hommes que des monarques envoient par fantaisie s'égorger pour des différends que deux honnêtes gens pourraient concilier en une heure[1] ; mais surtout on s'entretint du bel étranger vainqueur des lions, donneur des plus gros diamants de l'univers, faiseur de madrigaux, possesseur du phénix, devenu le plus malheureux des hommes sur le rapport d'un merle. « C'est mon cher frère, disait Aldée. — C'est mon amant[2] ! s'écriait Formosante ; vous l'avez vu sans doute, il est peut-être encore ici ; car, ma cousine, il sait qu'il est votre frère ; il ne vous aura pas quittée brusquement comme il a quitté le roi de la Chine.

— Si je l'ai vu, grands dieux ! reprit Aldée ; il a passé quatre jours entiers avec moi. Ah ! ma cousine, que mon frère est à plaindre ! Un faux rapport l'a rendu absolument fou ; il court le monde sans savoir où il va. Figurez-vous qu'il a poussé la démence jusqu'à refuser les faveurs de la plus belle Scythe de toute la Scythie. Il partit hier après lui avoir écrit une lettre dont elle a été désespérée. Pour lui, il est allé chez les Cimmériens[3]. — Dieu soit loué ! s'écria Formosante ; encore un refus en ma faveur ! mon bonheur a passé[4] mon espoir, comme mon malheur a surpassé toutes mes craintes. Faites-moi donner cette lettre charmante, que je parte, que je le suive, les mains pleines de ses sacrifices. Adieu, ma cousine ; Amazan est chez les Cimmériens, j'y vole. »

Aldée trouva que la princesse sa cousine était encore plus folle que son frère Amazan. Mais comme

---

1. Dénonciation de l'inutilité et de l'horreur de la guerre permanente chez Voltaire.

2. Voir p. 19 note 4.

3. Historiquement, peuple nomade venu du nord de la mer Noire ; représente ici la Russie et l'action civilisatrice de Catherine II.

4. Dépassé.

elle avait senti elle-même les atteintes de cette épidémie, comme elle avait quitté les délices et la magnificence de Babylone pour le roi des Scythes, comme les femmes s'intéressent toujours aux folies dont l'amour est cause, elle s'attendrit véritablement pour Formosante, lui souhaita un heureux voyage, et lui promit de servir sa passion si jamais elle était assez heureuse pour revoir son frère.

VI

Bientôt la princesse de Babylone et le phénix arrivèrent dans l'empire des Cimmériens, bien moins peuplé, à la vérité, que la Chine, mais deux fois plus étendu ; autrefois semblable à la Scythie, et devenu depuis quelque temps aussi florissant que les royaumes qui se vantaient d'instruire les autres États.

Après quelques jours de marche on entra dans une très grande ville que l'impératrice[1] régnante faisait embellir ; mais elle n'y était pas : elle voyageait[2] alors des frontières de l'Europe à celles de l'Asie pour connaître ses États par ses yeux, pour juger des maux et porter les remèdes, pour accroître les avantages, pour semer l'instruction.

Un des principaux officiers de cette ancienne capitale, instruit de l'arrivée de la Babylonienne et du phénix, s'empressa de rendre ses hommages à la princesse, et de lui faire les honneurs du pays, bien sûr

---

1. L'impératrice Catherine II (1729-1796), présentée comme le type du « despote éclairé », mettant à profit les leçons des Lumières, fit de son royaume une des grandes puissances de l'Europe. Elle maniait habilement les idées des philosophes (voir ses rapports avec Diderot) qui furent ses ardents propagandistes.
2. En 1767, Catherine II voyageait en effet à la découverte de son empire.

que sa maîtresse, qui était la plus polie et la plus magnifique des reines, lui saurait gré d'avoir reçu une si grande dame avec les mêmes égards qu'elle aurait prodigués elle-même [1].

On logea Formosante au palais, dont on écarta une foule importune de peuple ; on lui donna des fêtes ingénieuses. Le seigneur cimmérien, qui était un grand naturaliste [2], s'entretint beaucoup avec le phénix dans les temps où la princesse était retirée dans son appartement. Le phénix lui avoua qu'il avait autrefois voyagé chez les Cimmériens, et qu'il ne reconnaissait plus le pays. « Comment de si prodigieux changements, disait-il, ont-ils pu être opérés dans un temps si court ? Il n'y a pas trois cents ans que je vis ici la nature sauvage dans toute son horreur ; j'y trouve aujourd'hui les arts, la splendeur, la gloire et la politesse. — Un seul homme [3] a commencé ce grand ouvrage, répondit le Cimmérien ; une femme l'a perfectionné ; une femme a été meilleure législatrice que l'Isis des Égyptiens et la Cérès des Grecs [4]. La plupart des législateurs ont eu un génie étroit et despotique qui a resserré leurs vues dans le pays qu'ils ont gouverné ; chacun a regardé son peuple comme étant seul sur la terre, ou comme devant être l'ennemi du reste de la terre. Ils ont formé des institutions pour ce seul peuple, introduit des usa-

1. On peut lire ce paragraphe et les suivants comme une propagande d'autant plus nécessaire que l'Europe reprochait à Catherine II d'avoir pris le pouvoir par un coup d'État en faisant assassiner son mari, le tsar Pierre III (en 1762).
2. On reconnaît le prince Shouvalov qui correspondait avec Voltaire au nom de Catherine II. Le XVIIIe siècle voit l'essor des sciences naturelles.
3. Pierre Ier dit le Grand (1672-1725) dont le règne se caractérise plutôt par sa brutalité que par son esprit de tolérance.
4. Isis (voir p. 18 note 2) est la mère universelle dans la religion égyptienne. Cérès : déesse de la terre nourricière et de la fécondité (la Déméter des Grecs).

ges pour lui seul, établi une religion pour lui seul. C'est ainsi que les Égyptiens, si fameux par des monceaux de pierres, se sont abrutis et déshonorés par leurs superstitions barbares. Ils croient les autres nations profanes, ils ne communiquent point avec elles ; et, excepté la cour, qui s'élève quelquefois au-dessus des préjugés vulgaires, il n'y a pas un Égyptien qui voulût manger dans un plat dont un étranger se serait servi. Leurs prêtres sont cruels et absurdes. Il vaudrait mieux n'avoir point de lois, et n'écouter que la nature [1], qui a gravé dans nos cœurs les caractères du juste et de l'injuste, que de soumettre la société à des lois si insociables.

« Notre impératrice embrasse des projets entièrement opposés : elle considère son vaste État, sur lequel tous les méridiens viennent se joindre, comme devant correspondre à tous les peuples qui habitent sous ces différents méridiens. La première de ses lois a été la tolérance de toutes les religions [2], et la compassion pour toutes les erreurs. Son puissant génie a connu que si les cultes sont différents, la morale est partout la même : par ce principe elle a lié sa nation à toutes les nations du monde, et les Cimmériens vont regarder le Scandinavien et le Chinois comme leurs frères. Elle a fait plus : elle a voulu que cette précieuse tolérance, le premier lien des hommes, s'établît chez ses voisins [3] ; ainsi elle a mérité le titre de mère de la

---

1. Voltaire affirme une fois de plus que la morale est inscrite dans la nature humaine et ne relève pas des religions révélées.
2. Si Catherine II avait bien pris la défense des minorités orthodoxes et luthériennes contre la majorité catholique polonaise, ce fut surtout pour elle une raison d'annexer une partie de la Pologne (1772).
3. Voir note précédente.

patrie, et elle aura celui de bienfaitrice du genre humain, si elle persévère[1].

« Avant elle, des hommes malheureusement puissants envoyaient des troupes de meurtriers ravir à des peuplades inconnues et arroser de leur sang les héritages de leurs pères : on appelait ces assassins des héros ; leur brigandage était de la gloire. Notre souveraine a une autre gloire : elle a fait marcher des armées pour apporter la paix, pour empêcher les hommes de se nuire, pour les forcer à se supporter les uns les autres ; et ses étendards ont été ceux de la concorde publique. »

Le phénix, enchanté de tout ce que lui apprenait ce seigneur, lui dit : « Monsieur, il y a vingt-sept mille neuf cents années et sept mois que je suis au monde ; je n'ai encore rien vu de comparable à ce que vous me faites entendre. » Il lui demanda des nouvelles de son ami Amazan ; le Cimmérien lui conta les mêmes choses qu'on avait dites à la princesse chez les Chinois et chez les Scythes. Amazan s'enfuyait de toutes les cours qu'il visitait sitôt qu'une dame lui avait donné un rendez-vous auquel il craignait de succomber. Le phénix instruisit bientôt Formosante de cette nouvelle marque de fidélité qu'Amazan lui donnait, fidélité d'autant plus étonnante qu'il ne pouvait pas soupçonner que sa princesse en fût jamais informée.

Il était parti pour la Scandinavie[2]. Ce fut dans ces climats que des spectacles nouveaux frappèrent encore ses yeux. Ici[3] la royauté et la liberté subsis-

_____

1. Le règne de Catherine II qui a duré jusqu'en 1796 a été marqué par un despotisme croissant. En 1790, l'écrivain A.N. Raditchev a été condamné à mort pour avoir évoqué la misère des paysans.
2. Suède, Norvège et Danemark.
3. La Suède où, depuis plusieurs décennies, le roi partageait le pouvoir avec le Sénat (Riksdag).

Catherine II, par Borovikovski.

taient ensemble par un accord qui paraît impossible dans d'autres États : les agriculteurs avaient part à la législation, aussi bien que les grands du royaume ; et un jeune prince [1] donnait les plus grandes espérances d'être digne de commander à une nation libre. Là c'était quelque chose de plus étrange : le seul roi [2] qui fût despotique de droit sur la terre par un contrat formel avec son peuple était en même temps le plus jeune et le plus juste des rois.

Chez les Sarmates [3], Amazan vit un philosophe sur le trône : on pouvait l'appeler *le roi de l'anarchie* [4], car il était le chef de cent mille petits rois dont un seul pouvait d'un mot anéantir les résolutions de tous les autres. Éole [5] n'avait pas plus de peine à contenir tous les vents qui se combattent sans cesse, que ce monarque n'en avait à concilier les esprits : c'était un pilote environné d'un éternel orage ; et cependant le vaisseau ne se brisait pas, car le prince était un excellent pilote.

En parcourant tous ces pays si différents de sa patrie, Amazan refusait constamment toutes les bonnes fortunes [6] qui se présentaient à lui, toujours déses-

---

1. Le futur Gustave III, élevé dans les principes des Lumières. En fait, dès son arrivée au pouvoir, il restreint à son profit les pouvoirs du Sénat.

2. Christian VII de Danemark qui avait donné par lettre son soutien à Voltaire dans l'affaire Sirven.

3. Peuple nomade de l'Antiquité venu s'installer (IIIe siècle avant J.-C.) au nord du Pont-Euxin, donc en partie sur la Pologne actuelle, ici désignée par Voltaire.

4. Stanislas II Poniatowski ; l'amant de Catherine II, installé par elle sur le trône de Pologne, passait pour ami des Lumières. Chaque membre du Parlement (la Diète) disposait d'un droit de *veto* qui, de fait, condamnait le prince à l'impuissance.

5. Chez les Grecs, dieu maître des vents qu'il tient enfermés ; dans l'*Odyssée* (ch. X), Ulysse subit une affreuse tempête parce que ses compagnons ont laissé s'échapper les vents qu'Eole avait enfermés dans une outre.

6. Occasions galantes.

péré du baiser que Formosante avait donné au roi d'Égypte, toujours affermi dans son inconcevable résolution de donner à Formosante l'exemple d'une fidélité unique et inébranlable.

La princesse de Babylone avec le phénix le suivait partout à la piste, et ne le manquait jamais que d'un jour ou deux, sans que l'un se lassât de courir, et sans que l'autre perdît un moment à le suivre.

Ils traversèrent ainsi toute la Germanie[1] ; ils admirèrent les progrès que la raison et la philosophie faisaient dans le Nord : tous les princes y étaient instruits[2], tous autorisaient la liberté de penser ; leur éducation n'avait point été confiée à des hommes qui eussent intérêt de les tromper, ou qui fussent trompés eux-mêmes : on les avait élevés dans la connaissance de la morale universelle, et dans le mépris des superstitions ; on avait banni dans tous ces États un usage insensé[3], qui énervait[4] et dépeuplait plusieurs pays méridionaux : cette coutume était d'enterrer tout vivants, dans de vastes cachots, un nombre infini des deux sexes éternellement séparés l'un de l'autre, et de leur faire jurer de n'avoir jamais de communication ensemble. Cet excès de démence, accrédité pendant des siècles, avait dévasté la terre autant que les guerres les plus cruelles.

Les princes du Nord avaient à la fin compris que, si on voulait avoir des haras, il ne fallait pas séparer

---

1. L'Allemagne, composée à l'époque d'un grand nombre de principautés.

2. On aurait pu s'attendre à trouver ici un éloge personnalisé de Frédéric II de Prusse, à l'égard de qui Voltaire a pris ses distances depuis 1753. Certains souverains (Frédéric-Auguste III de Saxe, Charles-Frédéric de Bade) correspondent à cette description.

3. La vie monastique, les vœux de chasteté, le célibat des prêtres, que Voltaire juge absurdes. On trouve plus bas (« *Les plus forts chevaux* ») le thème satirique classique (par exemple chez Rabelais) de la sexualité débridée des ecclésiastiques.

4. Enlevait toute énergie (les nerfs).

les plus forts chevaux des cavales. Ils avaient détruit aussi des erreurs non moins bizarres et non moins pernicieuses. Enfin les hommes osaient être raisonnables dans ces vastes pays, tandis qu'ailleurs on croyait encore qu'on ne peut les gouverner qu'autant qu'ils sont imbéciles.

VII

Amazan arriva chez les Bataves [1] ; son cœur éprouva une douce satisfaction dans son chagrin d'y retrouver quelque faible image du pays des heureux Gangarides ; la liberté, l'égalité, la propreté, l'abondance, la tolérance ; mais les dames du pays étaient si froides qu'aucune ne lui fit d'avances comme on lui en avait fait partout ailleurs ; il n'eut pas la peine de résister. S'il avait voulu attaquer ces dames, il les aurait toutes subjuguées l'une après l'autre, sans être aimé d'aucune ; mais il était bien éloigné de songer à faire des conquêtes.

Formosante fut sur le point de l'attraper [2] chez cette nation insipide : il ne s'en fallut que d'un moment.

Amazan avait entendu parler chez les Bataves avec tant d'éloges d'une certaine île, nommée Albion [3], qu'il s'était déterminé à s'embarquer, lui et ses licornes, sur un vaisseau qui, par un vent d'orient favora-

---

1. Les Pays-Bas, lieu d'asile pour les protestants persécutés par exemple en France.
2. Le saisir au passage.
3. Surnom classique de la Grande-Bretagne (peut-être en raison de la blancheur des falaises (alba = blanc en latin).

ble, l'avait porté en quatre heures au rivage de cette terre plus célèbre que Tyr [1] et que l'île Atlantide [2].

La belle Formosante, qui l'avait suivi au bord de la Duina, de la Vistule, de l'Elbe, du Véser [3], arrive enfin aux bouches du Rhin, qui portait alors ses eaux rapides dans la mer Germanique.

Elle apprend que son cher amant a vogué aux côtes d'Albion ; elle croit voir son vaisseau ; elle pousse des cris de joie dont toutes les dames furent surprises, n'imaginant pas qu'un jeune homme pût causer tant de joie. Et à l'égard du phénix, elles n'en firent pas grand cas, parce qu'elles jugèrent que ses plumes ne pourraient probablement se vendre aussi bien que celles des canards et des oisons de leurs marais. La princesse de Babylone loua ou nolisa [4] deux vaisseaux pour la transporter avec tout son monde dans cette bienheureuse île qui allait posséder l'unique objet de tous ses désirs, l'âme de sa vie, le dieu de son cœur.

Un vent funeste d'occident s'éleva tout à coup dans le moment même où le fidèle et malheureux Amazan mettait pied à terre en Albion ; les vaisseaux de la princesse de Babylone ne purent démarrer [5]. Un serrement de cœur, une douleur amère, une mélancolie profonde, saisirent Formosante ; elle se mit au lit, dans sa douleur, en attendant que le vent changeât ; mais il souffla huit jours entiers avec une violence désespérante. La princesse, pendant ce siècle de huit jours, se faisait lire par Irla des romans : ce n'est pas

---

1. Grand port de la Méditerranée orientale dans l'Antiquité. Pour Voltaire, favoriser le commerce améliore le sort de l'humanité.
2. Ile fabuleuse située au-delà des colonnes d'Hercule (Gibraltar). On y trouvait en abondance les métaux les plus rares : Voltaire félicite l'Angleterre d'avoir développé le commerce et l'industrie.
3. Aujourd'hui la Weser.
4. Terme de marine : affréta, prit un navire en location.
5. Détacher les amarres pour prendre la mer.

que les Bataves en sussent faire ; mais, comme ils étaient les facteurs [1] de l'univers, ils vendaient l'esprit des autres nations ainsi que leurs denrées. La princesse fit acheter chez Marc-Michel Rey [2] tous les contes que l'on avait écrits chez les Ausoniens [3] et chez les Velches [4], et dont le débit était défendu [5] sagement chez ces peuples pour enrichir les Bataves ; elle espérait qu'elle trouverait dans ces histoires quelque aventure qui ressemblerait à la sienne, et qui charmerait sa douleur. Irla lisait, le phénix disait son avis, et la princesse ne trouvait rien dans *la Paysanne parvenue,* ni dans *Tansaï,* ni dans *le Sopha,* ni dans *les Quatre Facardins* [6], qui eût le moindre rapport à ses aventures ; elle interrompait à tout moment la lecture pour demander de quel côté venait le vent.

VIII

Cependant Amazan était déjà sur le chemin de la capitale d'Albion, dans son carrosse à six licornes, et rêvait à sa princesse. Il aperçut un équipage versé dans un fossé ; les domestiques s'étaient écartés pour

---

1. Littré : « *celui qui est chargé d'un négoce pour le compte d'un autre* ». Au XVIIIe siècle, les Pays-Bas impriment un grand nombre d'ouvrages entrant souvent en France clandestinement.
2. Célèbre libraire d'Amsterdam, éditeur de textes anticatholiques.
3. Population antérieure aux Latins de la moyenne et basse Italie ; désigne ici les Italiens.
4. En anglais, Welch signifie Gallois ; imitant les Allemands, Voltaire s'est servi de ce nom pour se moquer des Français (voir Discours aux Welches, 1764).
5. La vente était interdite.
6. *La Paysanne parvenue* de Mouhy : suite libre du *Paysan parvenu* de Marivaux ; *Tansaï* : « fantaisie japonaise » de Crébillon ; *le Sopha* : conte oriental du même Crébillon ; *les Quatre Facardins* : conte en vers et prose de Hamilton.

aller chercher du secours ; le maître de l'équipage restait tranquillement [1] dans sa voiture, ne témoignant pas la plus légère impatience, et s'amusant à fumer, car on fumait alors : il se nommait milord *What-then*, ce qui signifie à peu près milord *Qu'importe* en la langue dans laquelle je traduis ces mémoires.

Amazan se précipita pour lui rendre service ; il releva tout seul la voiture, tant sa force était supérieure à celle des autres hommes. Milord Qu'importe se contenta de dire : « Voilà un homme bien vigoureux. » Des rustres du voisinage, étant accourus, se mirent en colère de ce qu'on les avait fait venir inutilement, et s'en prirent à l'étranger : ils le menacèrent en l'appelant *chien d'étranger*, et ils voulurent le battre.

Amazan en saisit deux de chaque main, et les jeta à vingt pas ; les autres le respectèrent, le saluèrent, lui demandèrent pour boire : il leur donna plus d'argent qu'ils n'en avaient jamais vu. Milord Qu'importe lui dit : « Je vous estime ; venez dîner avec moi dans ma maison de campagne, qui n'est qu'à trois milles » ; il monta dans la voiture d'Amazan, parce que la sienne était dérangée par la secousse.

Après un quart d'heure de silence, il regarda un moment Amazan, et lui dit : *How dye do* ; à la lettre : *Comment faites-vous faire* ? et dans la langue du traducteur : *Comment vous portez-vous* ? ce qui ne veut rien dire du tout en aucune langue ; puis il ajouta : « Vous avez là six jolies licornes » ; et il se remit à fumer.

Le voyageur lui dit que ses licornes étaient à son service ; qu'il venait avec elles du pays des Gangarides ; et il en prit occasion de lui parler de la princesse de Babylone, et du fatal baiser qu'elle avait donné au roi d'Égypte ; à quoi l'autre ne répliqua rien du tout, se souciant très peu qu'il y eût dans le monde un roi

---

1. Déjà le thème du flegme britannique.

d'Égypte et une princesse de Babylone. Il fut encore un quart d'heure sans parler ; après quoi il redemanda à son compagnon comment il faisait faire, et si on mangeait du bon *roast-beef* dans le pays des Gangarides. Le voyageur lui répondit avec sa politesse ordinaire qu'on ne mangeait point ses frères sur les bords du Gange. Il lui expliqua le système qui fut, après tant de siècles, celui de Pythagore [1], de Porphyre, de Iamblique. Sur quoi milord s'endormit, et ne fit qu'un somme jusqu'à ce qu'on fût arrivé à sa maison.

Il avait une femme jeune et charmante, à qui la nature avait donné une âme aussi vive et aussi sensible que celle de son mari était indifférente. Plusieurs seigneurs albioniens étaient venus ce jour-là dîner avec elle. Il y avait des caractères de toutes les espèces : car le pays n'ayant presque jamais été gouverné que par des étrangers [2], les familles venues avec ces princes avaient toutes apporté des mœurs différentes. Il se trouva dans la compagnie des gens très aimables, d'autres d'un esprit supérieur, quelques-uns d'une science profonde.

La maîtresse de la maison n'avait rien de cet air emprunté et gauche, de cette roideur, de cette mauvaise honte qu'on reprochait alors aux jeunes femmes d'Albion ; elle ne cachait point, par un maintien dédaigneux et par un silence affecté, la stérilité de ses idées et l'embarras humiliant de n'avoir rien à dire : nulle femme n'était plus engageante. Elle reçut Amazan avec la politesse et les grâces qui lui étaient naturelles. L'extrême beauté de ce jeune étranger, et la

---

1. Pythagore (fin VIᵉ, début Vᵉ siècle av. J.-C.) croyait à la réincarnation de l'âme dans des corps d'animaux, d'où ses convictions végétariennes. Porphyre (IIᵉ siècle après J.-C.) est comme Iamblique au siècle suivant l'auteur d'une *Vie de Pythagore*.
2. La dynastie de Hanovre qui règne encore en Grande-Bretagne.

comparaison soudaine qu'elle fit entre lui et son mari, la frappèrent d'abord [1] sensiblement.

On servit. Elle fit asseoir Amazan à côté d'elle, et lui fit manger des poudings de toute espèce, ayant su de lui que les Gangarides ne se nourrissaient de rien qui eût reçu des dieux le don céleste de la vie. Sa beauté, sa force, les mœurs des Gangarides, les progrès des arts, la religion et le gouvernement furent le sujet d'une conversation aussi agréable qu'instructive pendant le repas, qui dura jusqu'à la nuit, et pendant lequel milord Qu'importe but beaucoup et ne dit mot.

Après le dîner, pendant que milady versait du thé et qu'elle dévorait des yeux le jeune homme, il s'entretenait avec un membre du parlement : car chacun sait que dès lors il y avait un parlement, et qu'il s'appelait *wittenagemot* [2], ce qui signifie *l'assemblée des gens d'esprit*. Amazan s'informait de la constitution, des mœurs, des lois, des forces, des usages, des arts, qui rendaient ce pays si recommandable ; et ce seigneur lui parlait en ces termes :

« Nous avons longtemps marché tout nus, quoique le climat ne soit pas chaud. Nous avons été longtemps traités en esclaves par des gens venus de l'antique terre de Saturne [3], arrosée des eaux du Tibre ; mais nous nous sommes fait nous-mêmes beaucoup plus de maux que nous n'en avions essuyés de nos premiers vainqueurs. Un de nos rois [4] poussa la bassesse jus-

---

1. Dès l'abord, tout de suite.
2. Le Wittene-Gemet, le parlement anglais. Voltaire fait toujours systématiquement l'éloge de l'Angleterre, de son gouvernement, de sa réussite commerciale, et de ses savants (Newton). Il oppose l'état actuel à la sauvagerie des temps primitifs *(tout nus)*, à la violence des temps antiques et médiévaux.
3. Un ancien dieu italique (assimilé ensuite à Cronos) dont Voltaire se sert pour désigner les Romains de l'Antiquité qui ont conquis l'Angleterre sous le règne de Claude (43 ap. J.-C.).
4. Jean sans Terre (1167-1217) qui dut se reconnaître vassal du pape.

qu'à se déclarer sujet d'un prêtre qui demeurait aussi sur les bords du Tibre, et qu'on appelait *le Vieux des sept montagnes* [1] ; tant la destinée de ces sept montagnes a été longtemps de dominer sur une grande partie de l'Europe habitée alors par des brutes !

« Après ces temps d'avilissement sont venus des siècles de férocité et d'anarchie. Notre terre, plus orageuse que les mers qui l'environnent, a été saccagée et ensanglantée par nos discordes ; plusieurs têtes couronnées ont péri par le dernier supplice. Plus de cent princes du sang des rois ont fini leurs jours sur l'échafaud. On a arraché le cœur de tous leurs adhérents [2], et on en a battu leurs joues. C'était au bourreau qu'il appartenait d'écrire l'histoire de notre île, puisque c'était lui qui avait terminé toutes les grandes affaires.

« Il n'y a pas longtemps que, pour comble d'horreur, quelques personnes portant un manteau noir, et d'autres qui mettaient une chemise blanche [3] par-dessus leur jaquette, ayant été mordues par des chiens enragés, communiquèrent la rage à la nation entière. Tous les citoyens furent ou meurtriers ou égorgés, ou bourreaux ou suppliciés, ou déprédateurs ou esclaves, au nom du ciel et en cherchant le Seigneur.

« Qui croirait que de cet abîme épouvantable, de ce chaos de dissensions, d'atrocités, d'ignorance et de fanatisme, il est enfin résulté le plus parfait gou-

---

1. Le pape, nommé ainsi en référence aux sept collines de Rome, mais aussi au Vieux de la Montagne, nom donné par les croisés au chef de la secte des « Assassins », proprement « buveurs de haschich » qui, sous l'influence de la drogue, étaient employés comme tueurs à gages.
2. Partisans du prince Charles Edouard Stuart (écossais et catholique) après leur défaite par les protestants (Culloden, 1746). Exemple des horreurs causées par le fanatisme religieux (voir *Candide* ch. 26).
3. Allusion à une guerre civile entre les puritains de Cromwell, habillés de noir et les prêtres anglicans en chemise blanche.

85

vernement [1] peut-être qui soit aujourd'hui dans le monde ? Un roi honoré et riche, tout-puissant pour faire le bien, impuissant pour faire le mal, est à la tête d'une nation libre, guerrière, commerçante et éclairée. Les grands d'un côté, et les représentants des villes de l'autre, partagent la législation avec le monarque.

« On avait vu, par une fatalité singulière, le désordre, les guerres civiles, l'anarchie et la pauvreté désoler le pays quand les rois affectaient [2] le pouvoir arbitraire. La tranquillité, la richesse, la félicité publique, n'ont régné chez nous que quand les rois ont reconnu qu'ils n'étaient pas absolus. Tout était subverti [3] quand on disputait sur des choses inintelligibles [4] ; tout a été dans l'ordre quand on les a méprisées. Nos flottes victorieuses portent notre gloire sur toutes les mers ; et les lois [5] mettent en sûreté nos fortunes : jamais un juge ne peut les expliquer arbitrairement ; jamais on ne rend un arrêt qui ne soit motivé. Nous punirions comme des assassins des juges qui oseraient envoyer à la mort un citoyen sans manifester les témoignages qui l'accusent et la loi qui le condamne.

« Il est vrai qu'il y a toujours chez nous deux partis qui se combattent avec la plume et avec des intrigues ; mais aussi ils se réunissent toujours quand il s'agit de prendre les armes pour défendre la patrie et la liberté. Ces deux partis veillent l'un sur l'autre ; ils

---

1. Cf. dans la huitième des *Lettres anglaises* ou *Lettres philosophiques* : « *La nation anglaise est la seule de la terre qui soit parvenue à régler le pouvoir des rois en leur résistant.* »
2. Recherchaient, aspiraient à.
3. Bouleversé, renversé.
4. Voltaire refuse que l'on perde du temps à des réflexions métaphysiques (voir p. 120 note 1).
5. Entre autres l'*habeas corpus* (1679) garantissant la liberté individuelle.

s'empêchent mutuellement de violer le dépôt sacré des lois ; ils se haïssent, mais ils aiment l'État : ce sont des amants jaloux qui servent à l'envi la même maîtresse.

« Du même fonds d'esprit qui nous a fait connaître et soutenir les droits de la nature humaine, nous avons porté les sciences au plus haut point où elles puissent parvenir chez les hommes. Vos Égyptiens, qui passent pour de si grands mécaniciens[1] ; vos Indiens, qu'on croit de si grands philosophes ; vos Babyloniens, qui se vantent d'avoir observé les astres pendant quatre cent trente mille années ; les Grecs, qui ont écrit tant de phrases et si peu de choses[2], ne savent précisément rien en comparaison de nos moindres écoliers qui ont étudié les découvertes de nos grands maîtres. Nous avons arraché plus de secrets à la nature dans l'espace de cent années que le genre humain n'en avait découvert dans la multitude des siècles.

« Voilà au vrai l'état où nous sommes. Je ne vous ai caché ni le bien, ni le mal, ni nos opprobres[3], ni notre gloire ; et je n'ai rien exagéré. »

Amazan, à ce discours, se sentit pénétré du désir de s'instruire dans ces sciences sublimes dont on lui parlait ; et si sa passion pour la princesse de Babylone, son respect filial pour sa mère, qu'il avait quittée, et l'amour de sa patrie, n'eussent fortement parlé à son cœur déchiré, il aurait voulu passer sa vie dans l'île d'Albion. Mais ce malheureux baiser donné par sa princesse au roi d'Égypte ne lui laissait pas assez de liberté dans l'esprit pour étudier les hautes sciences.

---

1. Savants en mécanique (utilisée dans les travaux de construction).
2. Voltaire vise peut-être les considérations métaphysiques platoniciennes.
3. Sujets de honte.

« Je vous avoue, dit-il, que m'ayant imposé la loi de courir le monde et de m'éviter moi-même, je serais curieux de voir cette antique terre de Saturne, ce peuple du Tibre et des sept montagnes à qui vous avez obéi autrefois ; il faut, sans doute, que ce soit le premier peuple de la terre. — Je vous conseille de faire ce voyage, lui répondit l'Albionien, pour peu que vous aimiez la musique et la peinture. Nous allons très souvent nous-mêmes porter quelquefois notre ennui [1] vers les sept montagnes. Mais vous serez bien étonné en voyant les descendants de nos vainqueurs. »

Cette conversation fut longue. Quoique le bel Amazan eût la cervelle un peu attaquée, il parlait avec tant d'agréments, sa voix était si touchante, son maintien si noble et si doux, que la maîtresse de la maison ne put s'empêcher de l'entretenir à son tour tête à tête. Elle lui serra tendrement la main en lui parlant, et en le regardant avec des yeux humides et étincelants qui portaient les désirs dans tous les ressorts de la vie. Elle le retint à souper et à coucher. Chaque instant, chaque parole, chaque regard, enflammèrent sa passion. Dès que tout le monde fut retiré, elle lui écrivit un petit billet, ne doutant pas qu'il ne vînt lui faire la cour dans son lit, tandis que milord Qu'importe dormait dans le sien. Amazan eut encore le courage de résister : tant un grain de folie produit d'effets miraculeux dans une âme forte et profondément blessée.

Amazan, selon sa coutume, fit à la dame une réponse respectueuse, par laquelle il lui représentait la sainteté de son serment, et l'obligation étroite où il était d'apprendre à la princesse de Babylone à domp-

---

1. Trait du caractère britannique selon Voltaire. Le mot *spleen* entre dans l'usage français vers 1745. Voir (Le Livre de Poche n° 42079) la nouvelle de Besenval, *Spleen*.

ter ses passions ; après quoi il fit atteler ses licornes, et repartit pour la Batavie, laissant toute la compagnie émerveillée de lui, et la dame du logis désespérée. Dans l'excès de sa douleur, elle laissa traîner la lettre d'Amazan ; milord Qu'importe la lut le lendemain matin. « Voilà, dit-il en levant les épaules, de bien plates niaiseries » ; et il alla chasser au renard avec quelques ivrognes du voisinage.

Amazan voguait déjà sur la mer, muni d'une carte géographique[1] dont lui avait fait présent le savant Albionien qui s'était entretenu avec lui chez milord Qu'importe. Il voyait avec surprise une grande partie de la terre sur une feuille de papier.

Ses yeux et son imagination s'égaraient dans ce petit espace ; il regardait le Rhin, le Danube, les Alpes du Tyrol, marqués alors par d'autres noms, et tous les pays par où il devait passer avant d'arriver à la ville des sept montagnes ; mais surtout il jetait les yeux sur la contrée des Gangarides, sur Babylone, où il avait vu sa chère princesse, et sur le fatal pays de Bassora, où elle avait donné un baiser au roi d'Égypte. Il soupirait, il versait des larmes ; mais il convenait que l'Albionien, qui lui avait fait présent de l'univers en raccourci, n'avait pas eu tort en disant qu'on était mille fois plus instruit sur les bords de la Tamise que sur ceux du Nil, de l'Euphrate et du Gange.

Comme il retournait en Batavie, Formosante volait vers Albion avec ses deux vaisseaux qui cinglaient à pleines voiles ; celui d'Amazan et celui de la princesse se croisèrent, se touchèrent presque : les deux amants étaient près l'un de l'autre, et ne pouvaient s'en douter : ah, s'ils l'avaient su ! mais l'impérieuse destinée ne le permit pas.

---

1. La cartographie, qui progresse considérablement au XVIIIe siècle, est pour Voltaire plus utile que toute la métaphysique.

IX

Sitôt qu'Amazan fut débarqué sur le terrain égal et fangeux [1] de la Batavie, il partit comme un éclair pour la ville aux sept montagnes. Il fallut traverser la partie méridionale de la Germanie. De quatre milles en quatre milles on trouvait un prince et une princesse, des filles d'honneur, et des gueux [2]. Il était étonné des coquetteries que ces dames et ces filles d'honneur lui faisaient partout avec la bonne foi germanique, et il n'y répondait que par de modestes refus. Après avoir franchi les Alpes, il s'embarqua sur la mer de Dalmatie [3], et aborda dans une ville [4] qui ne ressemblait à rien du tout de ce qu'il avait vu jusqu'alors. La mer formait les rues, les maisons étaient bâties dans l'eau. Le peu de places publiques qui ornaient cette ville était couvert d'hommes et de femmes qui avaient un double visage, celui que la nature leur avait donné et une face de carton mal peint qu'ils appliquaient par-dessus : en sorte que la nation semblait composée de spectres. Les étrangers qui venaient dans cette contrée commençaient par acheter un visage, comme on se pourvoit ailleurs de bonnets et de souliers. Amazan dédaigna cette mode contre nature ; il se présenta tel qu'il était. Il y avait dans la ville douze mille filles enregistrées dans le grand livre de la république ; filles utiles à l'État, chargées du commerce le plus avantageux et le plus agréable qui ait jamais enrichi une nation. Les négociants ordinaires envoyaient à grands frais et à grands risques des étoffes dans

---

1. Il s'agit des polders, marais littoraux protégés de la mer puis asséchés.
2. Voir au début de *Candide* la même caricature de la pauvreté des aristocrates allemands, affichant, sur des terres morcelées, des prétentions nobiliaires ridicules.
3. Région de l'ouest des Balkans, le long de l'Adriatique.
4. Candide aussi arrive à Venise en plein carnaval.

Les deux griffons l'enlevèrent comme une plume. Le phénix tantôt
volant au pré...

l'Orient ; ces belles négociantes faisaient sans aucun risque un trafic toujours renaissant de leurs attraits. Elles vinrent toutes se présenter au bel Amazan et lui offrir le choix. Il s'enfuit au plus vite en prononçant le nom de l'incomparable princesse de Babylone, et en jurant par les dieux immortels qu'elle était plus belle que toutes les douze mille filles vénitiennes. « Sublime friponne, s'écriait-il dans ses transports, je vous apprendrai à être fidèle ! »

Enfin les ondes jaunes du Tibre, des marais [1] empestés, des habitants hâves, décharnés et rares, couverts de vieux manteaux troués qui laissaient voir leur peau sèche et tannée, se présentèrent à ses yeux, et lui annoncèrent qu'il était à la porte de la ville aux sept montagnes, de cette ville de héros et de législateurs qui avaient conquis et policé [2] une grande partie du globe.

Il s'était imaginé qu'il verrait à la porte triomphale cinq cents bataillons commandés par des héros, et, dans le sénat, une assemblée de demi-dieux, donnant des lois à la terre ; il trouva, pour toute armée, une trentaine de gredins [3] montant la garde avec un parasol, de peur du soleil. Ayant pénétré jusqu'à un temple qui lui parut très beau, mais moins que celui de Babylone, il fut assez surpris d'y entendre une musique exécutée par des hommes qui avaient des voix de femmes [4].

« Voilà, dit-il, un plaisant pays que cette antique terre de Saturne ! J'ai vu une ville où personne n'avait son visage ; en voici une autre où les hommes n'ont ni leur voix ni leur barbe. » On lui dit que ces

---

1. Les marais Pontins qui n'ont été asséchés qu'au XXe siècle, notamment sous Mussolini.
2. Civilisé.
3. D'abord « mendiants », puis « personnes méprisables ». Ici les gardes pontificaux.
4. Le XVIIIe siècle connut un véritable engouement pour les voix de castrats (cf. *Candide* ch. XII).

chantres n'étaient plus hommes, qu'on les avait dépouillés de leur virilité afin qu'ils chantassent plus agréablement les louanges d'une prodigieuse quantité de gens de mérite. Amazan ne comprit rien à ce discours. Ces messieurs le prièrent de chanter ; il chanta un air gangaride avec sa grâce ordinaire.

Sa voix était une très belle haute-contre [1], « Ah ! monsignor, lui dirent-ils, quel charmant soprano vous auriez ! Ah ! si... — Comment, si ? Que prétendez-vous dire ? — Ah ! monsignor !... — Eh bien ? — Si vous n'aviez point de barbe ! » Alors ils lui expliquèrent très plaisamment, et avec des gestes fort comiques, selon leur coutume, de quoi il était question. Amazan demeura tout confondu. « J'ai voyagé, dit-il, et jamais je n'ai entendu parler d'une telle fantaisie. »

Lorsqu'on eut bien chanté, le *Vieux des sept montagnes* alla en grand cortège à la porte du temple ; il coupa l'air en quatre avec le pouce élevé, deux doigts étendus et deux autres pliés, en disant ces mots dans une langue qu'on ne parlait plus : *À la ville et à l'univers* [2]. Le Gangaride ne pouvait comprendre que deux doigts pussent atteindre si loin.

Il vit bientôt défiler toute la cour du maître du monde : elle était composée de graves personnages, les uns en robes rouges, les autres en violet [3] ; presque tous regardaient le bel Amazan en adoucissant les yeux ; ils lui faisaient des révérences, et se disaient l'un à l'autre : *San Martino, che bel ragazzo ! San Pancratio, che bel fanciullo* [4] !

---

1. Voir p. 60 note 3.
2. Bénédiction solennelle que donne le pape « *urbi et orbi* », autrement dit à la ville (de Rome) et à la terre entière.
3. Rouges : les cardinaux ; violet : les évêques ;
4. « *Par saint Martin, quel beau garçon ! Par saint Pancrace, quel bel enfant.* »

Les ardents [1], dont le métier était de montrer aux étrangers les curiosités de la ville, s'empressèrent de lui faire voir des masures [2] où un muletier ne voudrait pas passer la nuit, mais qui avaient été autrefois de dignes monuments de la grandeur d'un peuple roi. Il vit encore des tableaux de deux cents ans, et des statues de plus de vingt siècles, qui lui parurent des chefs-d'œuvre. « Faites-vous encore de pareils ouvrages ?

— Non, Votre Excellence, lui répondit un des ardents ; mais nous méprisons le reste de la terre, parce que nous conservons ces raretés. Nous sommes des espèces de fripiers qui tirons notre gloire des vieux habits qui restent dans nos magasins. »

Amazan voulut voir le palais du prince : on l'y conduisit. Il vit des hommes en violet qui comptaient l'argent des revenus de l'État : tant d'une terre située sur le Danube, tant d'une autre sur la Loire, ou sur le Guadalquivir, ou sur la Vistule. « Oh ! oh ! dit Amazan après avoir consulté sa carte de géographie, votre maître possède donc toute l'Europe comme ces anciens héros des sept montagnes ? — Il doit posséder l'univers entier de droit divin, lui répondit un violet ; et même il a été un temps où ses prédécesseurs ont approché de la monarchie universelle [3] ; mais leurs successeurs ont la bonté de se contenter aujourd'hui de quelque argent que les rois leurs sujets leur font payer en forme de tribut.

— Votre maître est donc en effet le roi des rois ? C'est donc là son titre ? dit Amazan. — Non, Votre Excellence ; son titre est *serviteur des serviteurs* ; il

---

1. Membres d'une congrégation religieuse qui soignait les malades atteints du « feu de saint Antoine », ou « mal des ardents », mais aussi guidait les visiteurs étrangers à Rome.
2. Caricature des ruines de la Rome antique.
3. En particulier Innocent III, au XIIIᵉ siècle, défendit la thèse de la suprématie du pape sur les rois (voir p. 84 note 4).

est originairement poissonnier et portier[1], et c'est pourquoi les emblèmes de sa dignité sont des clefs et des filets ; mais il donne toujours des ordres à tous les rois. Il n'y a pas longtemps qu'il envoya cent et un commandements[2] à un roi du pays des Celtes, et le roi obéit.

— Votre poissonnier, dit Amazan, envoya donc cinq ou six cent mille hommes pour faire exécuter ses cent et une volontés ?

— Point du tout, Votre Excellence ; notre saint maître n'est point assez riche pour soudoyer[3] dix mille soldats ; mais il a quatre à cinq cent mille prophètes divins distribués dans les autres pays. Ces prophètes de toutes couleurs sont, comme de raison, nourris aux dépens des peuples ; ils annoncent de la part du ciel que mon maître peut avec ses clefs ouvrir et fermer toutes les serrures, et surtout celles des coffres-forts. Un prêtre normand[4], qui avait auprès du roi dont je vous parle la charge de confident de ses pensées, le convainquit qu'il devait obéir sans réplique aux cent et une pensées de mon maître : car il faut que vous sachiez qu'une des prérogatives du *Vieux des sept montagnes* est d'avoir toujours raison[5], soit qu'il daigne parler, soit qu'il daigne écrire.

— Parbleu, dit Amazan, voilà un singulier homme ! je serais curieux de dîner avec lui. — Votre Excellence, quand vous seriez roi, vous ne pourriez

---

1. Le pape est le successeur de saint Pierre qui, de son vivant, était pêcheur et, depuis sa mort, détient les clefs du paradis.

2. En 1713, la bulle « *Unigenitus* » du pape Clément XI déclarait hérétiques cent une propositions d'un théologien français janséniste.

3. Payer des gens de guerre (non péjoratif).

4. Le père Le Tellier, confesseur de Louis XIV, était d'origine normande.

5. On discute à l'époque du dogme (voir p. 66 note 1) de l'infaillibilité pontificale, qui n'a été proclamé qu'en 1870.

manger à sa table ; tout ce qu'il pourrait faire pour vous, ce serait de vous en faire servir une à côté de lui plus petite et plus basse que la sienne. Mais, si vous voulez avoir l'honneur de lui parler, je lui demanderai audience pour vous, moyennant la *buona mancia* [1] que vous aurez la bonté de me donner. — Très volontiers », dit le Gangaride. Le *✠*violet s'inclina. « Je vous introduirai demain, dit-il ; vous ferez trois génuflexions, et vous baiserez les pieds du *Vieux des sept montagnes.* » A ces mots, Amazan fit de si prodigieux éclats de rire qu'il fut près de suffoquer ; il sortit en se tenant les côtés, et rit aux larmes pendant tout le chemin, jusqu'à ce qu'il fût arrivé à son hôtellerie, où il rit encore très longtemps.

A son dîner, il se présenta vingt hommes sans barbe et vingt violons qui lui donnèrent un concert. Il fut courtisé le reste de la journée par les seigneurs les plus importants de la ville : ils lui firent des propositions encore plus étranges que celle de baiser les pieds du *Vieux des sept montagnes.* Comme il était extrêmement poli, il crut d'abord que ces messieurs le prenaient pour une dame, et les avertit de leur méprise avec l'honnêteté la plus circonspecte. Mais, étant pressé un peu vivement par deux ou trois des plus déterminés violets, il les jeta par les fenêtres, sans croire faire un grand sacrifice à la belle Formosante. Il quitta au plus vite cette ville des maîtres du monde, où il fallait baiser un vieillard à l'orteil, comme si sa joue était à son pied, et où l'on n'abordait les jeunes gens qu'avec des cérémonies encore plus bizarres [2].

---

1. Étrenne, pourboire.
2. Voir dans *Candide* la même présentation satirique de l'homosexualité du clergé.

X

De province en province, ayant toujours repoussé les agaceries de toute espèce, toujours fidèle à la princesse de Babylone, toujours en colère contre le roi d'Égypte, ce modèle de constance parvint à la capitale nouvelle des Gaules. Cette ville avait passé, comme tant d'autres, par tous les degrés de la barbarie, de l'ignorance, de la sottise et de la misère. Son premier nom avait été *la boue* et *la crotte*[1] ; ensuite elle avait pris celui d'Isis, du culte d'Isis parvenu jusque chez elle. Son premier sénat avait été une compagnie de bateliers[2]. Elle avait été longtemps esclave des héros déprédateurs des sept montagnes ; et, après quelques siècles, d'autres héros brigands, venus de la rive ultérieure du Rhin[3], s'étaient emparés de son petit terrain.

Le temps, qui change tout, en avait fait une ville dont la moitié était très noble et très agréable, l'autre un peu grossière et ridicule : c'était l'emblème[4] de ses habitants. Il y avait dans son enceinte environ cent mille personnes au moins qui n'avaient rien à faire qu'à jouer et à se divertir. Ce peuple d'oisifs jugeait des arts que les autres cultivaient. Ils ne savaient rien de ce qui se passait à la cour ; quoiqu'elle ne fût qu'à quatre petits milles d'eux[5], il semblait qu'elle en fût à six cents milles au moins. La douceur de la société, la gaieté, la frivolité, étaient leur importante et leur

---

1. Étymologies fantaisistes utilisant l'une le latin (*lutum* : boue), l'autre un jeu de mots grec (avec un souvenir de Rabelais, *Gargantua* ch. XVI).
2. Corporation citée par les historiens latins sous Tibère (Ier siècle après J.-C.).
3. Les invasions des Germains en Gaule au IIe siècle après J.-C.
4. Image symbolique.
5. La vie mondaine s'est déplacée de la Cour aux salons parisiens.

unique affaire ; on les gouvernait comme des enfants à qui l'on prodigue des jouets pour les empêcher de crier. Si on leur parlait des horreurs [1] qui avaient, deux siècles auparavant, désolé leur patrie, et des temps épouvantables où la moitié de la nation avait massacré l'autre pour des sophismes [2], ils disaient qu'en effet cela n'était pas bien, et puis ils se mettaient à rire et à chanter des vaudevilles.

Plus les oisifs étaient polis, plaisants et aimables, plus on observait un triste contraste entre eux et des compagnies d'occupés.

Il était, parmi ces occupés [3], ou qui prétendaient l'être, une troupe de sombres fanatiques, moitié absurdes, moitié fripons, dont le seul aspect contristait la terre, et qui l'auraient bouleversée, s'ils l'avaient pu, pour se donner un peu de crédit [4] ; mais la nation des oisifs, en dansant et en chantant, les faisait rentrer dans leurs cavernes, comme les oiseaux obligent les chats-huants à se replonger dans les trous des masures.

D'autres occupés [5], en plus petit nombre, étaient les conservateurs d'anciens usages barbares contre lesquels la nature effrayée réclamait à haute voix ; ils ne consultaient que leurs registres rongés des vers. S'ils y voyaient une coutume insensée et horrible, ils la regardaient comme une loi sacrée. C'est par cette lâche habitude de n'oser penser par eux-mêmes, et de puiser leurs idées dans les débris des temps où l'on ne pensait pas, que, dans la ville des plaisirs, il était encore des mœurs atroces. C'est par cette raison qu'il n'y avait nulle proportion entre les délits et les pei-

1. Allusion aux guerres de religion.
2. Un raisonnement apparemment bien mené mais faux.
3. Le clergé, qui ne réussit pas à imposer son autorité aux gens du monde.
4. Influence, autorité.
5. Les gens de justice, utilisant des textes archaïques.

nes[1]. On faisait quelquefois souffrir mille morts à un innocent pour lui faire avouer un crime qu'il n'avait pas commis.

On punissait une étourderie de jeune homme[2] comme on aurait puni un empoisonnement ou un parricide. Les oisifs en poussaient des cris perçants, et le lendemain ils n'y pensaient plus, et ne parlaient que de modes nouvelles.

Ce peuple avait vu s'écouler un siècle entier[3] pendant lequel les beaux-arts s'élevèrent à un degré de perfection qu'on n'aurait jamais osé espérer ; les étrangers venaient alors, comme à Babylone, admirer les grands monuments d'architecture, les prodiges des jardins, les sublimes efforts de la sculpture et de la peinture. Ils étaient enchantés d'une musique qui allait à l'âme sans étonner[4] les oreilles.

La vraie poésie, c'est-à-dire celle qui est naturelle et harmonieuse, celle qui parle au cœur autant qu'à l'esprit, ne fut connue de la nation que dans cet heureux siècle. De nouveaux genres d'éloquence[5] déployèrent des beautés sublimes. Les théâtres surtout retentirent de chefs-d'œuvre dont aucun peuple n'approcha jamais. Enfin le bon goût se répandit dans toutes les professions, au point qu'il y eut de bons écrivains même chez les druides[6].

Tant de lauriers, qui avaient levé leurs têtes jusqu'aux nues, se séchèrent bientôt dans une terre épui-

---

1. Rappel de l'ouvrage du juriste italien Beccaria *Des délits et des peines* dont Voltaire fit un *Commentaire* en 1766.
2. Le jeune chevalier de La Barre accusé de sacrilège, décapité en 1766. Cf. Voltaire *Relation de la mort du Chevalier de La Barre* (1766) : « *La France entière regarda ce jugement avec horreur.* »
3. Éloge de l'art classique qui fait écho au *Siècle de Louis XIV* (1752).
4. Sens ancien (fort) : frapper comme par un coup de tonnerre.
5. Par exemple religieuse (Bossuet, Bourdaloue, Massillon).
6. Les ecclésiastiques : le cardinal de Retz, Fénelon.

sée. Il n'en resta qu'un très petit nombre dont les feuilles étaient d'un vert pâle et mourant. La décadence fut produite par la facilité de faire et par la paresse de bien faire, par la satiété du beau et par le goût du bizarre. La vanité protégea des artistes qui ramenaient les temps de la barbarie ; et cette même vanité, en persécutant les talents véritables, les força de quitter leur patrie ; les frelons [1] firent disparaître les abeilles.

Presque plus de véritables arts, presque plus de génie ; le mérite consistait à raisonner à tort et à travers sur le mérite du siècle passé : le barbouilleur des murs d'un cabaret critiquait savamment les tableaux des grands peintres ; les barbouilleurs de papier défiguraient les ouvrages des grands écrivains. L'ignorance et le mauvais goût avaient d'autres barbouilleurs à leurs gages ; on répétait les mêmes choses dans cent volumes sous des titres différents. Tout était ou dictionnaire ou brochure. Un gazetier druide [2] écrivait deux fois par semaine les annales obscures de quelques énergumènes ignorés de la nation, et de prodiges célestes opérés dans des galetas par de petits gueux et de petites gueuses ; d'autres ex-druides, vêtus de noir [3], prêts de mourir de colère et de faim, se plaignaient dans cent écrits qu'on ne leur permît plus de tromper les hommes, et qu'on

---

1. Allusion transparente à Fréron (voir p. 126 note 1).
2. *Les Nouvelles ecclésiastiques* signalent que des miracles seraient survenus chez des gens modestes d'obédience janséniste (voir p. 102 note 1). Voltaire avait assisté à ces scènes de convulsions liées à l'émotion religieuse en 1729 et 1732 et il ne cessait, depuis, d'y faire allusion (Cf. *Candide*, ch. XXI, « *La canaille convulsionnaire* »).
3. Les jansénistes, restes encore puissants d'un mouvement austère condamné au début du siècle (voir p. 96, note 2) ; les capucins, vêtus de gris jugés trop empressés auprès des dames.

laissât ce droit à des boucs vêtus de gris. Quelques archi-druides [1] imprimaient des libelles diffamatoires.

Amazan ne savait rien de tout cela ; et, quand il l'aurait su, il ne s'en serait guère embarrassé, n'ayant la tête remplie que de la princesse de Babylone, du roi de l'Égypte, et de son serment inviolable de mépriser toutes les coquetteries des dames, dans quelque pays que le chagrin conduisît ses pas.

Toute la populace légère, ignorante, et toujours poussant à l'excès cette curiosité naturelle au genre humain, s'empressa longtemps autour de ses licornes ; les femmes, plus sensées, forcèrent les portes de son hôtel pour contempler sa personne.

Il témoigna d'abord à son hôte quelque désir d'aller à la cour ; mais des oisifs de bonne compagnie, qui se trouvèrent là par hasard, lui dirent que ce n'était plus la mode, que les temps étaient bien changés, et qu'il n'y avait plus de plaisirs qu'à la ville. Il fut invité le soir même à souper par une dame [2] dont l'esprit et les talents étaient connus hors de sa patrie, et qui avait voyagé dans quelques pays où Amazan avait passé. Il goûta fort cette dame et la société rassemblée chez elle. La liberté y était décente, la gaieté n'y était point bruyante, la science n'y avait rien de rebutant, et l'esprit rien d'apprêté. Il vit que le nom de bonne compagnie n'est pas un vain nom, quoiqu'il soit souvent usurpé. Le lendemain il dîna dans une société non moins aimable, mais beaucoup plus voluptueuse. Plus il fut satisfait des convives, plus on fut content de lui. Il sentait son âme s'amollir et se dissoudre comme les aromates de son pays se fondent

---

1. Deux archevêques au moins ont écrit contre Voltaire.
2. On reconnaît madame Geoffrin (1699-1777) dont le salon accueillait les philosophes et qui connaissait bien Catherine II et Stanislas Poniatowski.

doucement à un feu modéré, et s'exhalent en parfums délicieux.

Après le dîner, on le mena à un spectacle enchanteur, condamné par les druides parce qu'il leur enlevait les auditeurs dont ils étaient les plus jaloux. Ce spectacle était un composé de vers agréables, de chants délicieux, de danses qui exprimaient les mouvements de l'âme, et de perspectives qui charmaient les yeux en les trompant. Ce genre de plaisir, qui rassemblait tant de genres, n'était connu que sous un nom étranger : il s'appelait *Opéra*, ce qui signifiait autrefois dans la langue des sept montagnes *travail, soin, occupation, industrie, entreprise, besogne, affaire*[1]. Cette affaire l'enchanta. Une fille surtout le charma par sa voix mélodieuse et par les grâces qui l'accompagnaient : cette fille d'*affaire*, après le spectacle, lui fut présentée par ses nouveaux amis. Il lui fit présent d'une poignée de diamants. Elle en fut si reconnaissante qu'elle ne put le quitter du reste du jour. Il soupa avec elle, et, pendant le repas, il oublia sa sobriété ; et, après le repas, il oublia son serment d'être toujours insensible à la beauté, et inexorable aux tendres coquetteries. Quel exemple de la faiblesse humaine !

La belle princesse de Babylone arrivait alors avec le phénix, sa femme de chambre Irla, et ses deux cents cavaliers gangarides montés sur leurs licornes. Il fallut attendre assez longtemps pour qu'on ouvrît les portes[2]. Elle demanda d'abord si le plus beau des hommes, le plus courageux, le plus spirituel et le plus fidèle, était encore dans cette ville. Les magistrats[3]

---

1. Ce détour par le latin introduit un jeu de mots un peu lourd sur « affaire » au sens de « relation amoureuse » (voir plus bas la « fille d'affaire » qui n'a pas que des talents lyriques).
2. Celles de la ville, encore enclose de murailles à l'époque.
3. Ils exercent une fonction publique, pas forcément judiciaire.

virent bien qu'elle voulait parler d'Amazan. Elle se fit conduire à son hôtel ; elle entra, le cœur palpitant d'amour : toute son âme était pénétrée de l'inexprimable joie de revoir enfin dans son amant le modèle de la constance. Rien ne put l'empêcher d'entrer dans sa chambre ; les rideaux étaient ouverts ; elle vit le bel Amazan dormant entre les bras d'une jolie brune. Ils avaient tous deux un très grand besoin de repos.

Formosante jeta un cri de douleur qui retentit dans toute la maison, mais qui ne put éveiller ni son cousin ni la fille d'*affaire*. Elle tomba pâmée entre les bras d'Irla. Dès qu'elle eut repris ses sens, elle sortit de cette chambre fatale avec une douleur mêlée de rage. Irla s'informa quelle était cette jeune demoiselle qui passait des heures si douces avec le bel Amazan. On lui dit que c'était une fille d'*affaire* fort complaisante, qui joignait à ses talents celui de chanter avec assez de grâce. « O juste ciel, ô puissant Orosmade ! s'écriait la belle princesse de Babylone tout en pleurs, par qui suis-je trahie, et pour qui ! Ainsi donc celui qui a refusé pour moi tant de princesses m'abandonne pour une farceuse des Gaules ! Non, je ne pourrai survivre à cet affront.

Madame, lui dit Irla, voilà comme sont faits tous les jeunes gens d'un bout du monde à l'autre : fussent-ils amoureux d'une beauté descendue du ciel, ils lui feraient, dans de certains moments, des infidélités pour une servante de cabaret.

— C'en est fait, dit la princesse, je ne le reverrai de ma vie ; partons dans l'instant même, et qu'on attelle mes licornes. » Le phénix la conjura d'attendre au moins qu'Amazan fût éveillé, et qu'il pût lui parler. « Il ne le mérite pas, dit la princesse ; vous m'offenseriez cruellement : il croirait que je vous ai prié de lui faire des reproches, et que je veux me raccommoder avec lui. Si vous m'aimez, n'ajoutez pas cette injure à l'injure qu'il m'a faite. » Le phénix,

Formofante jetta un cri de douleur qui
retentit dans toute la maifon,

la Princesse de Babilone §.X

Gravure de Moreau le Jeune. 1787.
Photo Roger Viollet

qui après tout devait la vie à la fille du roi de Babylone, ne put lui désobéir. Elle repartit avec tout son monde. « Où allons-nous, madame ? lui demandait Irla. — Je n'en sais rien, répondait la princesse ; nous prendrons le premier chemin que nous trouverons : pourvu que je fuie Amazan pour jamais, je suis contente. »

Le phénix, qui était plus sage que Formosante, parce qu'il était sans passion, la consolait en chemin ; il lui remontrait avec douceur qu'il était triste de se punir pour les fautes d'un autre ; qu'Amazan lui avait donné des preuves assez éclatantes et assez nombreuses de fidélité pour qu'elle pût lui pardonner de s'être oublié un moment ; que c'était un juste à qui la grâce d'Orosmade avait manqué ; qu'il n'en serait que plus constant désormais dans l'amour et dans la vertu ; que le désir d'expier sa faute le mettrait au-dessus de lui-même ; qu'elle n'en serait que plus heureuse : que plusieurs grandes princesses avant elle avaient pardonné de semblables écarts, et s'en étaient bien trouvées ; il lui en rapportait des exemples, et il possédait tellement l'art de conter que le cœur de Formosante fut enfin plus calme et plus paisible ; elle aurait voulu n'être point si tôt partie ; elle trouvait que ses licornes allaient trop vite, mais elle n'osait revenir sur ses pas ; combattue entre l'envie de pardonner et celle de montrer sa colère, entre son amour et sa vanité, elle laissait aller ses licornes ; elle courait le monde selon la prédiction de l'oracle de son père.

Amazan, à son réveil, apprend l'arrivée et le départ de Formosante et du phénix ; il apprend le désespoir et le courroux de la princesse ; on lui dit qu'elle a juré de ne lui pardonner jamais. « Il ne me reste plus, s'écria-t-il, qu'à la suivre et à me tuer à ses pieds. »

Ses amis de la bonne compagnie des oisifs accoururent au bruit de cette aventure ; tous lui remontrèrent qu'il valait infiniment mieux demeurer avec eux ;

que rien n'était comparable à la douce vie qu'ils menaient dans le sein des arts et d'une volupté tranquille et délicate ; que plusieurs étrangers et des rois mêmes avaient préféré ce repos, si agréablement occupé et si enchanteur, à leur patrie et à leur trône ; que d'ailleurs sa voiture était brisée, et qu'un sellier lui en faisait une à la nouvelle mode ; que le meilleur tailleur de la ville lui avait déjà coupé une douzaine d'habits du dernier goût [1] ; que les dames les plus spirituelles et les plus aimables de la ville, chez qui on jouait très bien la comédie, avaient retenu chacune leur jour pour lui donner des fêtes. La fille d'*affaire*, pendant ce temps-là, prenait son chocolat à sa toilette [2], riait, chantait, et faisait des agaceries au bel Amazan, qui s'aperçut enfin qu'elle n'avait pas le sens d'un oison [3].

Comme la sincérité, la cordialité, la franchise, ainsi que la magnanimité et le courage, composaient le caractère de ce grand prince, il avait conté ses malheurs et ses voyages à ses amis ; ils savaient qu'il était cousin issu de germain de la princesse ; ils étaient informés du baiser funeste donné par elle au roi d'Égypte. « On se pardonne, lui dirent-ils, ces petites frasques entre parents, sans quoi il faudrait passer sa vie dans d'éternelles querelles. » Rien n'ébranla son dessein de courir après Formosante ; mais, sa voiture n'étant pas prête, il fut obligé de passer trois jours parmi les oisifs dans les fêtes et dans les plaisirs ; enfin il prit congé d'eux en les embrassant, en leur faisant accepter les diamants de son pays les mieux montés, en leur recommandant d'être toujours légers et frivoles, puisqu'ils n'en étaient que plus aimables et plus heureux. « Les Germains, disait-

---

1. La dernière mode.
2. Meuble du genre d'une coiffeuse.
3. Elle est bête comme une oie.

il, sont les vieillards de l'Europe ; les peuples d'Albion sont les hommes faits ; les habitants de la Gaule sont les enfants, et j'aime à jouer avec eux. »

XI

Ses guides n'eurent pas de peine à suivre la route de la princesse ; on ne parlait que d'elle et de son gros oiseau. Tous les habitants étaient encore dans l'enthousiasme de l'admiration. Les peuples de la Dalmatie et de la Marche d'Ancône éprouvèrent depuis une surprise moins délicieuse quand ils virent une maison voler dans les airs [1] ; les bords de la Loire, de la Dordogne, de la Garonne, de la Gironde, retentissaient encore d'acclamations.

Quand Amazan fut au pied des Pyrénées, les magistrats et les druides du pays lui firent danser malgré lui un tambourin [2] ; mais sitôt qu'il eut franchi les Pyrénées, il ne vit plus de gaieté et de joie. S'il entendit quelques chansons de loin à loin, elles étaient toutes sur un ton triste : les habitants marchaient gravement avec des grains enfilés [3] et un poignard à leur ceinture. La nation, vêtue de noir, semblait être en deuil. Si les domestiques d'Amazan interrogeaient les passants, ceux-ci répondaient par signes ; si on entrait dans une hôtellerie, le maître de la maison enseignait aux gens en trois paroles qu'il n'y avait rien dans la maison, et qu'on pouvait envoyer chercher à quelques milles les choses dont on avait un besoin pressant.

---

1. Allusion malicieuse à la croyance populaire selon laquelle la maison de la Vierge aurait été transportée de Nazareth à Lorette, près d'Ancône.
2. Danse rythmée par un tambourin.
3. Chapelets.

Quand on demandait à ces silenciaires[1] s'ils avaient vu passer la belle princesse de Babylone, ils répondaient avec moins de brièveté : « Nous l'avons vue, elle n'est pas si belle : il n'y a de beau que les teints basanés ; elle étale une gorge d'albâtre qui est la chose du monde la plus dégoûtante, et qu'on ne connaît presque point dans nos climats. »

Amazan avançait vers la province arrosée du Bétis[2]. Il ne s'était pas écoulé plus de douze mille années depuis que ce pays avait été découvert par les Tyriens[3], vers le même temps qu'ils firent la découverte de la grande île Atlantide[4] submergée quelques siècles après. Les Tyriens cultivèrent la Bétique, que les naturels du pays laissaient en friche, prétendant qu'ils ne devaient se mêler de rien, et que c'était aux Gaulois leurs voisins à venir cultiver leurs terres. Les Tyriens avaient amené avec eux des Palestins[5], qui, dès ce temps-là, couraient dans tous les climats, pour peu qu'il y eût de l'argent à gagner. Ces Palestins, en prêtant sur gages à cinquante pour cent, avaient attiré à eux presque toutes les richesses du pays. Cela fit croire aux peuples de la Bétique que les Palestins étaient sorciers ; et tous ceux qui étaient accusés de magie étaient brûlés sans miséricorde par une compa-

---

1. Dans l'Antiquité, officier qui faisait observer le silence aux esclaves ; puis « religieux qui comme les trappistes, ont fait vœu de garder le silence » (Littré) : les Espagnols sont décrits comme pauvres, tristes et presque muets.
2. Nom latin du Guadalquivir, donnant son nom à la province romaine de Bétique, correspondant à peu près à l'Andalousie.
3. Voir p. 80 note 1. L'Espagne fut disputée par les Romains aux Carthaginois, héritiers des Tyriens.
4. Voir p. 80 note 2.
5. Désigne les juifs ; le prêt d'argent étant interdit par la religion chrétienne, les juifs étaient fréquemment prêteurs sur gages, une des raisons de l'hostilité à leur endroit dont on voit ici un exemple. Mais Voltaire dénonce aussi l'intolérance qui fait d'eux les victimes de l'Inquisition.

gnie de druides qu'on appelait *les rechercheurs*[1] ou *les anthropokaies*. Ces prêtres les revêtaient d'abord d'un habit de masque, s'emparaient de leurs biens, et récitaient dévotement les propres prières des Palestins, tandis qu'on les cuisait à petit feu *por l'amor de Dios*.

La princesse de Babylone avait mis pied à terre dans la ville qu'on appela depuis *Sevilla*[2]. Son dessein était de s'embarquer sur le Bétis pour retourner par Tyr à Babylone revoir le roi Bélus son père, et oublier, si elle pouvait, son infidèle amant, ou bien le demander en mariage. Elle fit venir chez elle deux Palestins qui faisaient toutes les affaires de la cour. Ils devaient lui fournir trois vaisseaux. Le phénix fit avec eux tous les arrangements nécessaires, et convint du prix après avoir un peu disputé.

L'hôtesse était fort dévote, et son mari, non moins dévot, était familier[3], c'est-à-dire espion des druides rechercheurs anthropokaies ; il ne manqua pas de les avertir qu'il avait dans sa maison une sorcière et deux Palestins qui faisaient un pacte avec le diable, déguisé en gros oiseau doré. Les rechercheurs, apprenant que la dame avait une prodigieuse quantité de diamants, la jugèrent incontinent[4] sorcière ; ils attendirent la nuit pour enfermer les deux cents cavaliers et les licornes, qui dormaient dans de vastes écuries : car les rechercheurs sont poltrons.

---

1. Mot forgé sur le sens premier d'*Inquisition* : enquête. Voltaire s'est élevé toute sa vie contre ce tribunal ecclésiastique, institué en 1215 pour poursuivre les hérétiques, les condamnant fréquemment (encore certains cas au XVIIIe siècle) au bûcher. De là le deuxième nom : anthropokaies, formé sur anthropophage avec le mot grec *Kaiein* : brûler.

2. Séville.

3. Officier subalterne du Saint-Office (l'Inquisition) chargé d'arrêter les accusés (cf. *Candide* ch. VI, « *Un petit homme, familier de l'Inquisition...* »).

4. Immédiatement.

Après avoir bien barricadé les portes, ils se saisirent de la princesse et d'Irla ; mais ils ne purent prendre le phénix, qui s'envola à tire d'ailes : il se doutait bien qu'il trouverait Amazan sur le chemin des Gaules à Sevilla.

Il le rencontra sur la frontière de la Bétique, et lui apprit le désastre de la princesse. Amazan ne put parler : il était trop saisi, trop en fureur. Il s'arme d'une cuirasse d'acier damasquinée d'or, d'une lance de douze pieds, de deux javelots, et d'une épée tranchante, appelée *la fulminante* [1], qui pouvait fendre d'un seul coup des arbres, des rochers et des druides ; il couvre sa belle tête d'un casque d'or ombragé de plumes de héron et d'autruche. C'était l'ancienne armure de Magog [2], dont sa sœur Aldée lui avait fait présent dans son voyage en Scythie ; le peu de suivants qui l'accompagnaient montent comme lui chacun sur sa licorne.

Amazan, en embrassant son cher phénix, ne lui dit que ces tristes paroles : « Je suis coupable ; si je n'avais pas couché avec une fille d'*affaire* dans la ville des oisifs, la belle princesse de Babylone ne serait pas dans cet état épouvantable ; courons aux anthropokaies. »

Il entre bientôt dans Sevilla : quinze cents alguazils [3] gardaient les portes de l'enclos où les deux cents Gangarides et leurs licornes étaient renfermés sans avoir à manger ; tout était préparé pour le sacrifice

---

1. « Qui lance la foudre » (pour le suffixe -*ante* voir p. 16 note 3). La préparation du héros au combat est inspirée de l'Arioste. Dans le *Roland furieux*, l'épée de Roland est celle d'Hector, le plus valeureux des Troyens dans l'*Iliade*.

2. Fils de Japhet, donc petit-fils de Noé dans la Genèse (X, 2).

3. Officiers de police en Espagne. Non seulement les « chercheurs » opèrent de nuit, mais ils s'assurent d'une supériorité numérique écrasante.

qu'on allait faire de la princesse de Babylone, de sa femme de chambre Irla, et des deux riches Palestins.

Le grand anthropokaie, entouré de ses petits anthropokaies, était déjà sur son tribunal sacré [1] ; une foule de Sévillois portant de grains enfilés à leurs ceintures joignaient les deux mains sans dire un mot, et l'on amenait la belle princesse, Irla, et les deux Palestins, les mains liées derrière le dos et vêtus d'un habit de masque [2].

Le phénix entre par une lucarne dans la prison où les Gangarides commençaient déjà à enfoncer les portes. L'invincible Amazan les brisait en dehors. Ils sortent tout armés, tous sur leurs licornes ; Amazan se met à leur tête. Il n'eut pas de peine à renverser les alguazils, les familiers, les prêtres anthropokaies ; chaque licorne en perçait des douzaines à la fois. La fulminante d'Amazan coupait en deux tous ceux qu'il rencontrait ; le peuple fuyait en manteau noir et en fraise [3] sale, toujours tenant à la main ses grains bénits *por l'amor de Dios*.

Amazan saisit de sa main le grand rechercheur sur son tribunal, et le jette sur le bûcher qui était préparé à quarante pas ; il y jeta aussi [4] les autres petits rechercheurs l'un après l'autre. Il se prosterne ensuite aux pieds de Formosante. « Ah ! que vous êtes aimable, dit-elle, et que je vous adorerais si vous ne

---

1. Voltaire suit la description donnée par l'*Histoire de L'Inquisition à Goa* de Dellon (1688). Le grand inquisiteur est comiquement assimilé à un animal entouré de ses petits.
2. Mitre en papier où sont peints les chefs d'accusation ; tunique d'étoffe, peinte elle aussi, appelée San Benito parce qu'elle rappelle l'habit de l'ordre de saint Benoît (cf. *Candide* ch. 6).
3. Col blanc et tuyautés, démodés en France à cette époque.
4. Il semble que Voltaire, qui a regretté à plusieurs reprises que Candide (ch. IX) n'ait tué qu'un seul inquisiteur, assouvisse ici un vieux rêve.

m'aviez pas fait une infidélité avec une fille d'*affaire* ! »

Tandis qu'Amazan faisait sa paix avec la princesse, tandis que ses Gangarides entassaient dans le bûcher les corps de tous les anthropokaies, et que les flammes s'élevaient jusqu'aux nues, Amazan vit de loin comme une armée qui venait à lui. Un vieux monarque[1], la couronne en tête, s'avançait sur un char traîné par huit mules attelées avec des cordes ; cent autres chars suivaient. Ils étaient accompagnés de graves personnages en manteau noir et en fraise, montés sur de très beaux chevaux ; une multitude de gens à pied suivait en cheveux gras et en silence.

D'abord Amazan fit ranger autour de lui ses Gangarides, et s'avança, la lance en arrêt. Dès que le roi l'aperçut, il ôta sa couronne, descendit de son char, embrassa l'étrier d'Amazan, et lui dit : « Homme envoyé de Dieu, vous êtes le vengeur du genre humain, le libérateur de ma patrie, mon protecteur. Ces monstres sacrés[2] dont vous avez purgé la terre étaient mes maîtres au nom du *Vieux des sept montagnes* ; j'étais forcé de souffrir leur puissance criminelle. Mon peuple m'aurait abandonné si j'avais voulu seulement modérer leurs abominables atrocités. D'aujourd'hui je respire, je règne, et je vous le dois. »

Ensuite il baisa respectueusement la main de Formosante, et la supplia de vouloir bien monter avec Amazan, Irla, et le phénix, dans son carrosse à huit mules. Les deux Palestins, banquiers de la cour, encore prosternés à terre de frayeur et de reconnais-

---

1. Charles III d'Espagne (règne de 1759 à 1788) se montra favorable aux philosophes et chassa les jésuites en 1767. Il soumit également l'Inquisition à la tutelle du pouvoir civil.

2. L'expression n'a évidemment pas le sens qu'elle a de nos jours.

Un autodafé. Gravure de Vermeulen.
Photo Bulloz

sance, se relevèrent, et la troupe des licornes suivit le roi de la Bétique dans son palais.

Comme la dignité du roi d'un peuple grave exigeait que ses mules allassent au petit pas, Amazan et Formosante eurent le temps de lui conter leurs aventures. Il entretint aussi le phénix ; il l'admira et le baisa cent fois. Il comprit combien les peuples d'Occident, qui mangeaient les animaux, et qui n'entendaient plus leur langage, étaient ignorants, brutaux et barbares ; que les seuls Gangarides avaient conservé la nature et la dignité primitive de l'homme ; mais il convenait surtout que les plus barbares des mortels étaient ces rechercheurs anthropokaies, dont Amazan venait de purger le monde. Il ne cessait de le bénir et de le remercier. La belle Formosante oubliait déjà l'aventure de la fille d'*affaire*, et n'avait l'âme remplie que de la valeur du héros qui lui avait sauvé la vie. Amazan, instruit de l'innocence du baiser donné au roi d'Égypte, et de la résurrection du phénix, goûtait une joie pure, et était enivré du plus violent amour.

On dîna au palais, et on y fit assez mauvaise chère. Les cuisiniers de la Bétique étaient les plus mauvais de l'Europe. Amazan conseilla d'en faire venir des Gaules. Les musiciens du roi exécutèrent pendant le repas cet air célèbre qu'on appela dans la suite des siècles *les Folies d'Espagne* [1]. Après le repas on parla d'affaires.

Le roi demanda au bel Amazan, à la belle Formosante et au beau phénix ce qu'ils prétendaient devenir. « Pour moi, dit Amazan, mon intention est de retourner à Babylone, dont je suis l'héritier présomptif [2], et de demander à mon oncle Bélus ma cousine issue de germaine, l'incomparable Formosante, à moins

---

1. Chanson populaire.
2. Celui dont on présume qu'il est héritier si un testament ne s'y oppose pas.

qu'elle n'aime mieux vivre avec moi chez les Gangarides.

— Mon dessein, dit la princesse, est assurément de ne jamais me séparer de mon cousin issu de germain. Mais je crois qu'il convient que je me rende auprès du roi mon père, d'autant plus qu'il ne m'a donné permission que d'aller en pèlerinage à Bassora, et que j'ai couru le monde. — Pour moi, dit le phénix, je suivrai partout ces deux tendres et généreux amants.

— Vous avez raison, dit le roi de la Bétique ; mais le retour à Babylone n'est pas si aisé que vous le pensez. Je sais tous les jours des nouvelles de ce pays-là par les vaisseaux tyriens, et par mes banquiers palestins, qui sont en correspondance avec tous les peuples de la terre. Tout est en armes vers l'Euphrate et le Nil. Le roi de Scythie redemande l'héritage de sa femme, à la tête de trois cent mille guerriers tous à cheval. Le roi d'Égypte et le roi des Indes désolent aussi les bords du Tigre et de l'Euphrate, chacun à la tête de trois cent mille hommes, pour se venger de ce qu'on s'est moqué d'eux. Pendant que le roi d'Égypte est hors de son pays, son ennemi le roi d'Éthiopie ravage l'Égypte avec trois cent mille hommes, et le roi de Babylone n'a encore que six cent mille hommes sur pied pour se défendre.

« Je vous avoue, continua le roi, que lorsque j'entends parler de ces prodigieuses armées que l'Orient vomit de son sein, et de leur étonnante magnificence ; quand je les compare à nos petits corps de vingt à trente mille soldats, qu'il est si difficile de vêtir et de nourrir, je suis tenté de croire que l'Orient a été fait bien longtemps avant l'Occident [1].

---

1. L'idée de l'antériorité de l'Orient détermine déjà le plan de l'*Essai sur les mœurs* : « *En vous instruisant en philosophe de ce qui concerne le globe, vous portez d'abord votre vue sur l'Orient, berceau de tous les arts et qui a tout donné à l'Occident* » (Avant-propos).

Il semble que nous soyons sortis avant-hier du chaos, et hier de la barbarie.

— Sire, dit Amazan, les derniers venus l'emportent quelquefois sur ceux qui sont entrés les premiers dans la carrière. On pense dans mon pays que l'homme est originaire de l'Inde, mais je n'en ai aucune certitude.

— Et vous, dit le roi de la Bétique au phénix, qu'en pensez-vous ? — Sire, répondit le phénix, je suis encore trop jeune pour être instruit de l'antiquité. Je n'ai vécu qu'environ vingt-sept mille ans ; mais mon père, qui avait vécu cinq fois cet âge, me disait qu'il avait appris de son père que les contrées de l'Orient avaient toujours été plus peuplées et plus riches que les autres. Il tenait de ses ancêtres que les générations de tous les animaux avaient commencé sur les bords du Gange. Pour moi, je n'ai pas la vanité d'être de cette opinion. Je ne puis croire que les renards d'Albion, les marmottes des Alpes et les loups de la Gaule viennent de mon pays ; de même que je ne crois pas que les sapins et les chênes de vos contrées descendent des palmiers et des cocotiers des Indes.

— Mais d'où venons-nous donc ? dit le roi. — Je n'en sais rien [1], dit le phénix ; je voudrais seulement savoir où la belle princesse de Babylone et mon cher ami Amazan pourront aller. — Je doute fort, repartit le roi, qu'avec ses deux cents licornes il soit en état de percer à travers tant d'armées de trois cent mille hommes chacune. — Pourquoi non ? », dit Amazan.

Le roi de la Bétique sentit le sublime du *Pourquoi non* ; mais il crut que le sublime seul ne suffisait pas

---

1. Le phénix a la sagesse préférée de Voltaire : renoncer à réfléchir aux problèmes qui dépassent notre entendement (voir p. 86 note 4).

contre des armées innombrables. « Je vous conseille, dit-il, d'aller trouver le roi d'Éthiopie ; je suis en relation avec ce prince noir par le moyen de mes Palestins. Je vous donnerai des lettres pour lui. Puisqu'il est l'ennemi du roi d'Égypte, il sera trop heureux d'être fortifié par votre alliance. Je puis vous aider de deux mille hommes très sobres et très braves ; il ne tiendra qu'à vous d'en engager autant chez les peuples qui demeurent, ou plutôt qui sautent au pied des Pyrénées, et qu'on appelle *Vasques* ou *Vascons* [1]. Envoyez un de vos guerriers sur une licorne avec quelques diamants : il n'y a point de Vascon qui ne quitte le castel, c'est-à-dire la chaumière de son père, pour vous servir. Ils sont infatigables, courageux et plaisants ; vous en serez très satisfait. En attendant qu'ils soient arrivés, nous vous donnerons des fêtes et nous vous préparerons des vaisseaux. Je ne puis trop reconnaître le service que vous m'avez rendu. »

Amazan jouissait du bonheur d'avoir retrouvé Formosante, et de goûter en paix dans sa conversation tous les charmes de l'amour réconcilié, qui valent presque ceux de l'amour naissant.

Bientôt une troupe fière et joyeuse de Vascons arriva en dansant un tambourin ; l'autre troupe fière et sérieuse de Bétiquois était prête. Le vieux roi tanné embrassa tendrement les deux amants ; il fit charger leurs vaisseaux d'armes, de lits, de jeux d'échecs, d'habits noirs, de golilles [2], d'oignons, de moutons, de poules, de farine et de beaucoup d'ail, en leur souhaitant une heureuse traversée, un amour constant et des victoires.

La flotte aborda le rivage où l'on dit que tant de

1. Les Gascons.
2. « *Espèce de collet porté en Espagne* » (Littré).

siècles après la Phénicienne Didon [1], sœur d'un Pygmalion, épouse d'un Sichée, ayant quitté cette ville de Tyr, vint fonder la superbe ville de Carthage, en coupant un cuir de bœuf en lanières, selon le témoignage des plus graves auteurs de l'antiquité, lesquels n'ont jamais conté de fables, et selon les professeurs qui ont écrit pour les petits garçons ; quoique après tout il n'y ait jamais eu personne à Tyr qui se soit appelé Pygmalion, ou Didon, ou Sichée, qui sont des noms entièrement grecs, et quoique enfin il n'y eût point de roi à Tyr en ces temps-là.

La superbe Carthage n'était point encore un port de mer ; il n'y avait là que quelques Numides qui faisaient sécher des poissons au soleil. On côtoya la Byzacène et les Syrtes, les bords fertiles où furent depuis Cyrène et la grande Chersonèse [2].

Enfin on arriva vers la première embouchure du fleuve sacré du Nil. C'est à l'extrémité de cette terre fertile que le port de Canope [3] recevait déjà les vaisseaux de toutes les nations commerçantes, sans qu'on sût si le dieu Canope avait fondé le port, ou si les habitants avaient fabriqué le dieu, ni si l'étoile Canope avait donné son nom à la ville, ou si la ville avait donné le sien à l'étoile. Tout ce qu'on en savait, c'est que la ville et l'étoile étaient fort anciennes, et

---

1. En tyrien : Elissa, fille du roi de Tyr, mariée à Sychée que Pygmalion, (qui n'est pas le roi de Chypre amoureux de la statue qu'il a sculptée, mais le frère de Didon) fit assassiner par cupidité. « *Les plus graves auteurs* » (Virgile, *Enéide*, chants I et IV) et Ovide racontent comment, partie pour fonder une ville en Numidie, ayant droit au territoire délimité par une peau de bœuf, elle eut l'astuce de découper celle-ci en lanières, ce qui lui permit de fonder Carthage. Au temps de Voltaire seuls les jeunes garçons peinaient sur les versions latines.
2. Voir carte p. 14
3. Port au nord-est d'Alexandrie, près de l'actuel Aboukir. On ne connaît pas de dieu Canope et, sur cette sagesse, voir p. 120 note 1.

c'est tout ce qu'on peut savoir de l'origine des choses, de quelque nature qu'elles puissent être.

Ce fut là que le roi d'Éthiopie, ayant ravagé toute l'Égypte, vit débarquer l'invincible Amazan et l'adorable Formosante. Il prit l'un pour le dieu des combats, et l'autre pour la déesse de la beauté. Amazan lui présenta la lettre de recommandation d'Espagne. Le roi d'Éthiopie donna d'abord des fêtes admirables, suivant la coutume indispensable des temps héroïques ; ensuite on parla d'aller exterminer les trois cent mille hommes du roi d'Égypte, les trois cent mille de l'empereur des Indes, et les trois cent mille du grand kan des Scythes, qui assiégeaient l'immense, l'orgueilleuse, la voluptueuse ville de Babylone.

Les deux mille Espagnols qu'Amazan avait amenés avec lui dirent qu'ils n'avaient que faire du roi d'Éthiopie pour secourir Babylone ; que c'était assez que leur roi leur eût ordonné d'aller la délivrer ; qu'il suffisait d'eux pour cette expédition.

Les Vascons dirent qu'ils en avaient bien fait d'autres ; qu'ils battraient tout seuls les Égyptiens, les Indiens et les Scythes, et qu'ils ne voulaient marcher avec les Espagnols qu'à condition que ceux-ci seraient à l'arrière-garde.

Les deux cents Gangarides se mirent à rire des prétentions de leurs alliés, et ils soutinrent qu'avec cent licornes seulement ils feraient fuir tous les rois de la terre. La belle Formosante les apaisa par sa prudence et par ses discours enchanteurs. Amazan présenta au monarque noir ses Gangarides, ses licornes, les Espagnols, les Vascons, et son bel oiseau.

Tout fut prêt bientôt pour marcher par Memphis, par Héliopolis, par Arsinoé, par Pétra, par Artémite, par Sora, par Apamée [1], pour aller attaquer les trois

---

1. Itinéraire de fantaisie : voir carte p. 14

rois, et pour faire cette guerre mémorable devant laquelle toutes les guerres que les hommes ont faites depuis n'ont été que des combats de coqs et de cailles.

Chacun sait comment le roi d'Éthiopie devint amoureux de la belle Formosante, et comment il la surprit au lit, lorsqu'un doux sommeil fermait ses longues paupières. On se souvient qu'Amazan, témoin de ce spectacle, crut voir le jour et la nuit couchant ensemble. On n'ignore pas qu'Amazan, indigné de l'affront, tira soudain sa fulminante, qu'il coupa la tête perverse du nègre insolent, et qu'il chassa tous les Éthiopiens d'Égypte. Ces prodiges ne sont-ils pas écrits dans le livre des chroniques d'Égypte ? La renommée a publié de ses cent bouches les victoires qu'il remporta sur les trois rois avec ses Espagnols, ses Vascons et ses licornes. Il rendit la belle Formosante à son père ; il délivra toute la suite de sa maîtresse, que le roi d'Égypte avait réduite en esclavage. Le grand kan des Scythes se déclara son vassal, et son mariage avec la princesse Aldée fut confirmé. L'invincible et généreux Amazan, reconnu pour héritier du royaume de Babylone, entra dans la ville en triomphe avec le phénix, en présence de cent rois tributaires. La fête de son mariage surpassa en tout celle que le roi Bélus avait donnée. On servit à table le bœuf Apis rôti [1]. Le roi d'Égypte et celui des Indes donnèrent à boire aux deux époux, et ces noces furent célébrées par cinq cents grands poètes de Babylone.

O muses ! qu'on invoque toujours au commencement de son ouvrage [2], je ne vous implore qu'à la fin.

---

1. Nouveau trait (voir p. 18 note 1) d'irrévérence voltairienne à l'égard d'un dieu, peut-être pour désigner la communion par laquelle les chrétiens mangent le corps du Christ.

2. Notamment dans l'épopée (voir les premiers vers de l'*Odyssée*).

C'est en vain qu'on me reproche de dire grâces sans avoir dit *benedicite*[1]. Muses ! vous n'en serez pas moins mes protectrices. Empêchez que des continuateurs[2] téméraires ne gâtent par leurs fables les vérités que j'ai enseignées aux mortels dans ce fidèle récit, ainsi qu'ils ont osé falsifier *Candide, L'Ingénu*, et les chastes aventures de la chaste Jeanne[3], qu'un excapucin a défigurées par des vers dignes des capucins, dans des éditions bataves. Qu'ils ne fassent pas ce tort à mon typographe[4] chargé d'une nombreuse famille, et qui possède à peine de quoi avoir des caractères, du papier et de l'encre.

O muses ! imposez silence[5] au détestable Coger[6], professeur de bavarderie au collège Mazarin, qui n'a pas été content des discours moraux de Bélisaire et de l'empereur Justinien, et qui a écrit de vilains libelles diffamatoires contre ces deux grands hommes.

Mettez un bâillon au pédant Larcher[7], qui, sans

---

1. Prière chrétienne dite au début du repas, alors que les grâces sont dites à la fin pour remercier Dieu (référence savoureuse sous la plume de Voltaire !).

2. Les suites apocryphes et anonymes d'œuvres célèbres étaient nombreuses au XVIIIe siècle. On en connaît au moins trois pour *Candide*. Elles ne provenaient pas toutes de Hollande.

3. Voltaire a écrit une tragédie consacrée à Jeanne d'Arc : *La Pucelle*.

4. Imprimeur.

5. On peut estimer que cette revue burlesque de quelques critiques est surtout intéressante pour ce qu'elle nous révèle de la violence du ton des querelles littéraires de l'époque.

6. Professeur d'éloquence au collège Mazarin. Dans l'*Examen du Bélisaire de M. Marmontel*, il répondait aux attaques de ce dernier contre la religion chrétienne. Bélisaire est un des généraux de l'empereur Justinien qui régna sur l'empire byzantin à partir de 527.

7. Un savant helléniste qui s'était permis de reprendre Voltaire, qui, entre diverses plaisanteries, le calomnie vraiment. La querelle porte sur une interprétation d'un passage d'Hérodote et sur le grand âge de Sara, la femme d'Abraham lorsqu'elle met au monde Isaac, et donc finalement sur les mérites comparés des mœurs païennes et bibliques. L'exemple de Ninon de l'Enclos, célèbre pour la

savoir un mot de l'ancien babylonien, sans avoir voyagé comme moi sur les bords de l'Euphrate et du Tigre, a eu l'imprudence de soutenir que la belle Formosante, fille du plus grand roi du monde, et la princesse Aldée, et toutes les femmes de cette respectable cour, allaient coucher avec tous les palefreniers de l'Asie pour de l'argent, dans le grand temple de Babylone, par principe de religion. Ce libertin de collège, votre ennemi et celui de la pudeur, accuse les belles Égyptiennes de Mendès de n'avoir aimé que des boucs, se proposant en secret, par exemple, de faire un tour en Égypte pour avoir enfin de bonnes aventures.

Comme il ne connaît pas plus le moderne que l'antique, il insinue, dans l'espérance de s'introduire auprès de quelque vieille, que notre incomparable Ninon, à l'âge de quatre-vingts ans, coucha avec l'abbé Gédoin, de l'Académie française et de celle des inscriptions et belles-lettres. Il n'a jamais entendu parler de l'abbé de Châteauneuf, qu'il prend pour l'abbé Gédoin. Il ne connaît pas plus Ninon que les filles de Babylone.

Muses, filles du ciel, votre ennemi Larcher fait plus : il se répand en éloges sur la pédérastie ; il ose dire que tous les bambins de mon pays sont sujets à cette infamie. Il croit se sauver en augmentant le nombre des coupables.

Nobles et chastes muses, qui détestez également le pédantisme et la pédérastie, protégez-moi contre maître Larcher !

---

liberté de ses mœurs et la verdeur de son grand âge, ne rend pas l'affaire plus claire. Le nom de « Mendès », une ville d'Egypte, vient d'un texte d'Hérodote (Histoires II c 46 : « *le bouc et le dieu portent le même nom de Mendès* ») évoquant une prostitution rituelle.

Et vous, maître Aliboron [1], dit Fréron ci-devant soi-disant jésuite, vous dont le Parnasse [2] est tantôt à Bicêtre et tantôt au cabaret du coin ; vous à qui l'on a rendu tant de justice sur tous les théâtres de l'Europe dans l'honnête comédie de *L'Écossaise* [3] ; vous, digne fils du prêtre Desfontaines [4], qui naquîtes de ses amours avec un de ces beaux enfants qui portent un fer et un bandeau comme le fils de Vénus, et qui s'élancent comme lui dans les airs, quoiqu'ils n'aillent jamais qu'au haut des cheminées ; mon cher Aliboron, pour qui j'ai toujours eu tant de tendresse, et qui m'avez fait rire un mois de suite du temps de cette *Écossaise*, je vous recommande ma princesse de Babylone ; dites-en bien du mal afin qu'on la lise.

Je ne vous oublierai point ici, gazetier ecclésiastique, illustre orateur des convulsionnaires, père de l'Église fondée par l'abbé Bécherand [5] et par Abraham Chaumeix [6] ne manquez pas de dire dans vos feuilles, aussi pieuses qu'éloquentes et sensées, que la *Princesse de Babylone* est hérétique, déiste et athée. Tâchez surtout d'engager le sieur Riballier [7] à faire

---

1. Surnom populaire de l'âne. Fréron est l'une des « bêtes noires » de Voltaire (voir p. 101). L'accusation d'intempérance est gratuite. Il ne séjourna jamais à Bicêtre (prison pour malfaiteurs de bas étage) mais à la Bastille où furent envoyés bien des auteurs du temps, dont Voltaire lui-même.
2. La montagne grecque où séjournaient les Muses, donc le lieu de l'inspiration.
3. Une comédie de Voltaire (1760) qui attaque violemment Fréron.
4. Enfermé à Bicêtre pour avoir abusé d'un petit ramoneur et libéré grâce à Voltaire. Eros (le dieu grec de l'Amour) a les yeux bandés et un carquois ; les ramoneurs, armés d'une brosse, se protègent le visage d'une étoffe.
5. « Convulsionnaire » (voir p. 101 note 4).
6. Auteur des *Préjugés légitimes contre L'Encyclopédie*.
7. Docteur en Sorbonne.

condamner la *Princesse de Babylone* par la Sorbonne [1] ; vous ferez grand plaisir à mon libraire, à qui j'ai donné cette petite histoire pour ses étrennes.

---

1. Faculté de théologie de Paris qui condamna solennellement un grand nombre d'œuvres des philosophes du XVIIIe siècle, sans toujours nuire à leur succès.

Achevé d'imprimer en septembre 2008 en Espagne par
LIBERDÚPLEX
Sant Llorenç d'Hortons (08791)
Dépôt légal 1ʳᵉ publication : août 1994
Édition 11 - septembre 2008
LIBRAIRIE GENÉRALE FRANÇAISE – 31, rue de Fleurus – 75278 Paris Cedex 06

31/3643/9